KB104835

컵케이크, 달콤한 내 인생

컵케이크, 달콤한 내 인생

초판 1쇄 2009년 11월 12일
개정판 1쇄 2012년 10월 26일

글 이샘
사진 이과용(leekw28@hanmail.net) · 이근영(mustashe.dali@gmail.com)
일러스트레이션 송유나(song.yuna@yahoo.co.kr)

펴낸이 김정순
책임편집 서민경
디자인 홍지숙
마케팅 김보미 임정진 전선경

펴낸곳 (주)북하우스 퍼블리셔스
출판등록 1997년 9월 23일 제406-2003-055호
주소 121-840 서울시 마포구 서교동 395-4 선진빌딩 6층
전화번호 02-3144-3123
팩스 02-3144-3121
전자메일 editor@bookhouse.co.kr
홈페이지 www.bookhouse.co.kr

ISBN 978-89-5605-612-8 03810

이 도서의 국립중앙도서관 출판도서목록(CIP)은 홈페이지(http://www.nl.go.kr/cip.php)에서
이용하실 수 있습니다. (CIP제어번호 : CIP2012004859)

컵케이크, 달콤한 내 인생

이샘 지음

Life is just a cup of cake

북하우스

prologue

오랜만에 『컵케이크, 달콤한 내 인생』을 펼쳐보았습니다. 때로는 컵케이크를 굽느라, 때로는 마음을 빼앗긴 다른 일들에 집중하느라, 그리고 최근에는 법전과 씨름하느라 참 바쁜 하루하루를 보냈습니다. 그러다 보니 컵케이크 집이 문을 연 지 사 년이 넘어 어느덧 오 주년을 바라보고 있더군요. 다시 책을 펼쳐 예전의 내 모습을 보니 그때의 나는 참 순수했고 열정적이었구나 하고 새삼 생각하게 됩니다. 어쩐지 그때의 나를 통해 지금의 내가 또 다시 자극을 받고 동기부여가 됩니다. 초판이 2009년 11월에 세상에 처음 소개되었으니, 벌써 꽤나 시간이 흘렀습니다. 그 사이에 컵케이크 집에도, 개인적으로도 많은 일들이 있었고 새로운 이야기들을 보충해서 개정판을 내보면 어떨까 생각했어요. 그렇지만 처음 컵케이크 집을 열고, 생애 첫 책을 써내면서 가졌던 그때의 열정을 다시 담아내기가 쉽지는 않더군요. 그래서 어쩌면 오히려 지금 이대로의 모습이 더 의미 있겠다는 생각에 짧은 글로 그간의 안부를 대신하고자 합니다.

컵케이크 집의 가장 큰 변화라면 역시 이름이 아닐까 싶네요. 각자가 살고 있는 인생의 모습은 다르더라도 컵케이크를 먹을 때만큼은 완벽한 행복을 느끼길 바라는 마음을 담아 지었던 'Life is just a cup of cake'는 지금 생각해도 컵케이크 집 이름으로는 최고가 아닐까 싶지만, 이름이 너무 길어서 부르기 어렵다는 많은 분들의 소중한 의견을 존중하는 의미에서 짧고 기억하기 쉬운 이름으로 바꾸게 되었습니다. '이샘 컵케이크'. 제

이름을 걸고 컵케이크를 굽는 만큼 처음에 가졌던 마음을 지키면서 오래도록 작지만 따뜻한 가게로 남겠다는 의지를 보이고자 했답니다. 『컵케이크, 달콤한 내 인생』이 출간되고 나서는 거의 대부분의 손님들이 그냥 이샘 님의 컵케이크 집이라고 부르는 통에 자연스럽게 새로운 이름으로 선정된 뒷이야기가 있기도 합니다.

좋은 재료로, 가능하면 몸에도 이로운 컵케이크를 구워내면서 만드는 사람도, 먹는 사람도, 그리고 우리가 살고 있는 이 지구도 행복하기를 바랐던 마음이 시간이 지나면서 점점 함께 사는 이웃들에 대한 관심으로 커져갔습니다. 그래서 혼자 아이를 키우는 젊은 엄마들을 응원하고자 '미스 맘 컵케이크 스쿨'을 운영하기 시작했고, 함께 컵케이크를 만들고 맛있는 컵케이크를 나누어 먹으면서 그들의 삶을 지원했습니다. 미스 맘 컵케이크 스쿨은 현재 2기까지 진행되었고, 그 과정에서 어려움도 많았고 좌절도 많이 했지만 그 이야기는 언젠가 풀어낼 수 있는 날이 올 거라고 기약해봅니다. 최근에는 새로운 도전을 시작하면서 컵케이크 스쿨은 잠시 방학에 들어갔습니다. 그렇다면 새로운 도전이 무엇인지 궁금하시겠지요?

사실은 2012년 3월부터 법학전문대학원에서 법을 공부하고 있습니다. 컵케이크를 굽던 사람이 갑자기 법을 공부한다니 꽤나 의외지요? 그동안 모자 가정 지원과 관련해서 여러 기관 관계자들을 만나고 개인적으로 응원하는 일들을 하면서 여러 부분에서 한계를 느꼈습니다. 그래서 더 많은 분들에게 보다 근본적으로 도움을 주기 위해서는 공부가 필요하다는 생각을 하게 되었어요. 학업과 사업을 병행하는 것이 쉽지는 않지만 좋은 분들의 도움으로, 그리고 컵케이크 집을 사랑해주시는 많은 분들 덕분에 힘차게 하루하루를 살고 있습니다.

평범한 직장인에서 컵케이크 집 사장으로, 그리고 이제는 법을 공부하는 학생으로 길지 않은 시간 동안 많은 도전과 변화를 경험하면서 모든 일에 더욱 감사하게 됩니다. 그 무엇도 미리 계획했던 것이 없었기 때문이지요. 그런 의미에서, 저처럼 늘 꿈을 꾸고 도전하는 모든 분들의 멋진 꿈과 도전을 맛있는 컵케이크로 오래오래 응원하겠습니다.

함께 커가요, 우리.

Life is just

a cup of cake

contents

prologue • 004

Chapter 1.

바닐라, 언제나 기본은

축구 • 020 스물일곱 • 023 그리고 스물여덟 • 025 앤트워프 • 026
첫 컵케이크 • 027 운명 • 029 돈 • 033
Life is just a cup of cake • 036 설득 • 042 변신 • 044
커피 • 050 컵케이크 vs 머핀 • 054 컵 • 057
베이킹 실전 • 061 아이처럼 • 066 메뉴 선정 • 068
빨간 머리 앤 • 074 폭풍 전야 • 076
오픈식 • 081 시행착오 • 085 디자인 • 090

Chapter 2.

베리, 상큼한 그 이름

말찻가루 • 094 스타벅스 손님 • 099 음악 • 103
삼천 원 이 달러 • 106 특별한 그녀들 • 108 미니 vs 슈퍼 • 112
해외 주문 • 114 내 생일 • 119 숨쉬기 • 121 이웃 • 122
광복절 • 125 한여름 • 126 음악 축제 • 128 꽃다발 • 134
전통 • 136 카페 vs 공장 • 140 스타 이벤트 • 145 라티나처럼 • 150

Chapter 3.

초콜릿, 달콤함과 씁쓸함의 경계

부암동 로망 • 154 녹차야 제발 • 158 단화 • 162 점심시간 • 165
링거 주사 • 167 그린 라이프 • 170 착한 소비 • 174 가을 • 176
생일 케이크 • 178 친구 • 181 세입자의 설움 • 184 남편 • 187
크리스마스 • 190 드라마 • 193 행복 • 195 어느 하루 • 199 균형 • 200

Chapter 4.

녹차 그리고 얼그레이, 진한 향기를 오래오래

편지 • 204 180도 • 207 두번째 가게 • 209 대출 • 214 사장 • 218
메뉴 개발 • 220 외국 컵케이크 • 224 시식회 • 228 나눔 • 230
첫 수업 • 234 홈페이지 • 240 옐로 카드 • 242 유기농 밀가루 • 244
우리밀 • 247 우리밀 컵케이크 • 250 출발선 • 254

컵케이크를 찾아 떠난 런던 여행

크럼스 앤 도일리스 • 259 허밍버드 베이커리 • 261
프림로즈 베이커리 • 263 롤라스 • 266
레드 벨벳 컵케이크 • 268 페어케이크 컵케이크 • 271
버터컵 케이크 집 • 274

Chapter 1.

바닐라, 언제나 기본은

축구

길지 않은 삶의 여정이었지만 그 과정 중에 가장 열정을 쏟고 많이 사랑했던 한 가지를 꼽으라면, 신랑에게는 미안하지만 단연 축구. 너무 뜬금없나요? 컵케이크를 굽고 있는 사람이니 당연히 케이크나 베이킹 같은 답이 나올 거라고 예상한 분들에게는 무척 생뚱맞은 답일지도 모르겠습니다. 하지만 '축구' 맞습니다. 축구를 빼고선 지금의 나를 설명하기 어려울 테니까요.

항상 웅장한 클래식 음악이 귓가에 울려퍼지는, 푸른 잔디가 넓게 펼쳐진 경기장에 들어서면 난 당장이라도 국가대표 경기에 출전해 골을 넣을 것 같은 비장한 각오였죠. 뺨에 와닿는 축구장의 건강한 에너지는 온몸을 짜릿짜릿하게 만들었습니다. 심장은 쿵쾅쿵쾅. 그 짜릿함이, 그리고 그 쿵쾅거림이 좋아서 축구에 빠졌는지도 모르죠. 열여덟 살 여고생에게 축구는 밥보다 남자보다 부모님보다 물론 공부보다 더 소중한 존재였습니다.

한창 예민하고 날카로운 사춘기 시절에 영국으로 떠나게 되었지만 새로운 환경에 쉽게 적응할 수 있었던 것도 역시 축구 덕분이었습니다. 영국하면 또 축구 아니겠어요! 당시만 해도 박지성 선수도 이영표 선수도 프리

미어 리그에 진출하지 않았을 때지만, 그래도 축구가 국민 스포츠인 영국에 발을 딛고 있다는 사실만으로도 축구 소녀인 내게는 가슴 벅찬 일이었습니다. 한국에서처럼 자주 축구장에 찾아가진 못했지만 대신 TV를 켜면 언제든지 최고 수준의 경기를 볼 수 있었지요.

어렵게 영국 고등학교를 졸업한 후 영국에서 대학에 진학하지 않고 한국으로 돌아온 것도 엄밀히 말하면 축구 때문이었습니다. 2002년 월드컵이 한국에서 열리니 한국 대학을 가야겠다고 생각했거든요. 물론 다른 이유들도 있었지만요. 전공을 경영학으로 선택한 것도 스포츠 마케팅을 하고 싶었기 때문이니 축구 사랑, 정말 대단했죠. 그 결과 2002년에는 대한민국 축구 국가대표팀의 미디어 연락관으로 선발되어 대표팀의 유일한 여자 멤버로 합숙하면서 승리의 순간순간을 함께 만끽하는 행운을 맛보기도 했습니다.

다른 친구들이 대부분 미국으로 교환학생을 떠날 때 2006년 독일 월드컵을 준비한다는 다소 무모하지만 귀여운 이유로 혼자 독일로 향했습니다. 독일에서 연수한 외에도, 멕시코에서 반년 동안 스페인어를 공부하기도 했고요. 이렇게 적고 보니 꽤 열심히 살아왔네요.

그리고 제일기획에 입사했습니다. 취미와 특기를 살려 스포츠 사업팀에 발령을 받았죠. 하지만 거기까지입니다.

이상하죠? 열여덟 꽃다운 여고생 시절부터 아침에 눈을 떠서 밤에 눈을 감을 때까지 모든 감각은 축구로 향해 있었는데, 그리고 이제 드디어 그동안 쌓아왔던 열정과 작지만 단단한 내 실력을 쏟아부을 때가 왔다고 생각했는데 거기서 끝이라니.

이대로 축구와 이별인가요.

스물일곱

회사는 참 좋은 곳입니다. 정해진 시간에 출근을 해서 일을 하고 퇴근을 하는 일상을 사 주 동안 반복하면 월급이 나옵니다. 월급을 받아 집세를 내거나 장을 보기도 하고 또 옷을 사고 맛있는 밥을 사먹고 미래를 위해 저축을 하기도 하고 가끔 여행도 떠납니다. 회사원의 삶이 고달프더라도 그만큼의 대가를 받으니 감수할 수 있고, 또 그 대가를 이용해서 즐거운 시간을 보낼 수도 있으니 그 정도면 충분한 듯 느껴지기도 합니다.

하지만 회사는 개인의 꿈을 키워주는 장소는 아닙니다. 회사는 나를 위해 존재하지 않기 때문에 내 마음속을 들여다본다거나 내가 무엇을 잘하는지, 또 어디에 관심이 있는지 살뜰히 살펴봐주지 않죠. 아무리 반짝반짝 신호를 보내도 엉엉 울어보아도 꽥꽥 소리를 질러보아도 상처는 고스란히 내게로 돌아왔습니다.

찬란한 나의 스물일곱을 위해 열정을 다해 달려왔는데 더 이상 내 의지로 할 수 있는 것이 하나도 없다는 느낌이었죠. 이제는 그저 주어지는 일을 해야 하는구나. 물론 그렇게라도 일을 할 수 있다는 사실에 감사해야 한다는 것도 알고 있지만 그러기엔 스물일곱의 내가 너무 불쌍했습니다.

그래서 하루 일과가 끝나면 불쌍한 나를 위로하기 위해 쇼핑도 하고 영화도 보고 학원도 다녀보았죠. 하지만 만족감은 그때뿐 또다시 밀려오는 허무함과 외로움. 사실 스물일곱은 그저 인정하고 적당히 포기하기엔 이른 나이 아닐까요.

이제라도 축구장으로 떠날까…….

글쎄요. 스물다섯의 나는 축구가 아니면 절대 안 된다고 소리쳤을지 모르지만 스물일곱의 내겐 더 이상 축구냐 아니냐의 간단한 선택이 아니었습니다. 중요한 건 내가 가장 행복한 일을 하는 것임을 깨닫게 되었달까요. 스물다섯의 내겐 그게 축구였다면 스물일곱의 나에겐 조금 달랐습니다. 이제는 나를 이야기하고 나를 표현하고 싶었고 동시에 타인을 이해하고 그들과 소통하는 방법을 배우고 싶었습니다. 좀더 가까운 거리에서 사람들을 만나고 싶었습니다.

그리고 스물여덟

그리고 스물여덟.
기름으로 돌아가는 모터의 힘보다는
나를 걷게 하고 뛰게 하는
근육의 힘을 믿어보기로 하였습니다.

누구나 끄덕이는
좀더 편안한 삶의 방식보다는
내가 이해하는
아름다운 삶의 방식을
믿어보기로 합니다.

나는 할 수 있겠지.

앤트워프

고흐가 말했습니다.

"난 앤트워프가 마음에 들어. 그중에서도 특히 부두가 좋아. 요즘은 여자들이나 선원들이 가는 변두리 카페에 자주 가는데 다들 나를 선원이라고 생각하는 모양이야. 맥주 한 잔 시켜놓고 몇 시간씩 죽치고 앉아 있는 사람이 있는가 하면 음악에 맞춰 즐겁게 춤추는 사람도 많아."

당장이라도 벨기에의 앤트워프로 달려가고 싶은 마음입니다. 맥주 한 잔 시켜놓고 몇 시간씩 죽치고 앉아 있거나 음악에 맞춰 즐겁게 춤을 추는 삶이라니. 이보다 더 행복할 수 있을까요. 하지만 앤트워프가 춘천도 아니고 어찌 가고 싶다 해서 훌쩍 떠날 수 있겠어요. 그래서 다짐했죠. 그래, 갈 수 없다면 만들어보자. 내가 만들어서 나도 행복하고 함께하는 사람들도 행복하도록. 그렇게 서울에 앤트워프 만들기 프로젝트가 시작됩니다.

첫 컵케이크

컵케이크를 처음 만난 건 축구에 빠져 살던 열아홉, 영국에서.

한국 사람들이 모여 사는 동네만큼은 절대 안 된다며 교민들이 많이 거주하는 지역에서 자동차로 한 시간 정도 떨어진 도시에 집을 얻은 아버지 덕에 동양인을 찾아보기 어려운 동네에 자리 잡게 되었습니다. 영어를 열심히 가르치겠다는 아버지의 열정은 대단하셨지만 사실 낯선 외국 땅에서 교민들의 도움을 받지 않고 정착을 한다는 것은 쉬운 일이 아니었지요. 드라마를 보면 이런 어려운 상황에 항상 짠 하고 나타나 도움을 주는 천사 같은 분들이 있잖아요. 우리 가족에게는 옆집에 사는 스텔라 할머니가 그런 분이었답니다. 낯선 영국 집의 보일러 작동법을 몰라 한겨울에 찬물로 샤워를 하고 있던 우리 가족을 따뜻한 물의 세계로 인도해준 분도, 어느 학교에 가야 할지 몰라 발만 동동 구르고 있던 나와 동생에게 적절한 학교를 추천해준 분도, 그리고 심지어 어렵고 힘든 영국 역사를 쉽고 재미있게 풀어서 설명해준 분도 바로 스텔라 할머니입니다.

어느 날 스텔라 할머니는 우리에게 무척 깜찍하고 맛있는 컵케이크를 구워주었습니다. 와우! 세상에 이렇게 앙증맞고 귀여운 케이크가 있을 줄

이야. 케이크라면 모름지기 지름 18센티미터는 되고 과일이 듬뿍 올려져 있는 생크림 케이크 정도는 되어야 한다고 생각하던 내겐 꽤 충격이었죠. 세상에 이런 케이크가 다 있구나. 예쁘게 세팅된 티테이블 위에 살포시 놓여 있는 컵케이크들은 그렇게 깊은 첫 인상을 남겼습니다. 그날 그 순간부터 컵케이크의 매력 속으로 풍덩 빠져든 것은 아니지만, 사랑스럽게 남은 그날의 기억이 컵케이크 가게를 만들도록 이끌었달까요.

내가 나만의 공간을 가지게 된다면 그 공간을 어떻게 꾸미고 또 무엇으로 세상과 소통할 것인지를 고민하던 때 달콤한 컵케이크 향이 코끝에 맴돌았던 것도, 그동안 단지 보기 예쁘다는 이유로 모아두었던 컵케이크 이미지들이 눈에 번쩍 들어온 것도 영국에서의 인연 덕분이 아닐까요.

스텔라 할머니,
고맙습니다.♥

운명

돌이켜보면 정말 아찔했던 순간들이 있습니다. 로스팅 카페를 해보겠다는 꿈을 가졌을 때처럼 말이죠. 커피 마시는 것은 지구에서 둘째가라면 서러울 만큼 좋아하지만 그렇다고 커피에 대한 지식이 많은 것도 아니고 커피에 대해 깊이 알고 싶은 것도 아닌 내가 커피 로스팅이라니…….

입사 첫해 5월, 회사 근처에 작지도 크지도 않은 카페가 하나 생겼습니다. 호주에서 유학을 하고 돌아온 두 자매가 함께 가꾸어가던 그곳은, 처음 경험해보는 사회생활에 조금은 놀라고 내심 실망했던 내게 오아시스 같은 공간이었답니다. 언제든 달려가면 맛있는 커피를 마실 수 있고 선배들과 식사 메뉴를 통일해야 한다는 이유만으로 먹기 싫은 한식 백반을 시킬 수밖에 없었던 날들로부터 해방되어, 신선하고 따뜻한 샌드위치를 마음껏 먹을 수 있었으니까요. 커다란 테이블을 혼자 차지하고는 입에서 살살 녹는 홈메이드 티라미수를 음미하며 하루 종일 고생한 나 자신을 토닥토닥 위로해주기도 했고요.

그 정도면 딱 좋겠다고 생각했습니다. 회사와 아주 가까우니 사랑하는 사람들이 언제든 휴식이 필요하면 달려올 수 있고, 적당히 대로변에서 떨어져 있으니 내가 뭘 하던 크게 주목받지 않을 테니까요. 그리고 그 카페 언니들도 최근 이태원 큰길에 두번째 가게를 내서 많이 바쁠 때였으니 어쩌면 비교적 한가한 첫번째 가게를 팔고 싶어할지도 모른다는 생각이 들었죠. 그 길로 바로 달려갔습니다. 마음이 동하는 소리가 들리면 뭐든지 바로 행동으로 옮길 수 있는 추진력은 나의 가장 큰 장점이랍니다. 종종 너무 무모한 도전일 때도 있지만요.

하지만 아쉽게도 상상 속에서 로스팅 카페를 만들어본 것으로 만족해야 했답니다. 나의 바람과는 달리 그녀들은 가게를 다른 사람에게 내어줄 준비가 되어 있지 않았거든요. 사람에게도 운명이란 게 있는 것처럼 공간에도 그 비슷한 것이 있는 모양입니다. 칠 개월 후 그곳에 커피를 볶는 로스팅 카페가 자리 잡은 걸 보면 말이죠.

무모한 첫 도전에 실패하고는 당분간 회사를 더 다녀야 하나보다며 마음을 추스르고 있던 어느 날 가게도 가게지만 결혼준비도 해야 했던 터라 함께 살 집을 찾으러 부동산에 들렀습니다. 부동산은 회사 건너편 상가에 자리하고 있었는데 마침 그때 부동산 바로 옆 피자 가게가 다른 장소로 이전을 하면서 비어 있는 것이 눈에 띄었습니다. 알아보니 아쉽게도 바로 그날 오전에 다른 이가 계약을 하고 갔다고 합니다. 상가에도 관심을 보이자 친절한 부동산 사장님은 우리의 예산 규모에 맞는 저렴한 장소를 두세 곳 보여주었습니다. 그렇게 만나게 된, 지붕에 기와가 놓인 작고 어두운 한남동 738-16번지 1층.

술을 팔던 곳답게 벽이 온통 어두운 청록색으로 칠해져 있었고 테이블

을 여러 개 놓느라 공간은 조각조각 나뉘어 있었습니다. 화장실 벽은 하드코어 포르노 사진으로 도배되어 꺅 소리가 절로 나올 지경이었고요. 천장이 낮아 그렇지 않아도 좁은 공간이 더 좁아 보인 데다 바닥도 고르지 못해 오르락내리락해야 하는 계단식 구조도 썩 마음에 들지 않았습니다. 그런데 이상하게 그곳을 만나고 돌아온 후부터 자꾸 그 공간이 생각나며 그림이 그려지더군요. 벽과 천장을 모두 새하얗게 칠한다면 어떨까. 조각조각 난 공간의 일부를 한 덩어리로 만들어 좀더 크게 쓸 수 있다면 넓어 보일 텐데. 작고 낮은 그 공간에서 달콤한 컵케이크 향이 풍긴다면…… 그래, 나쁘지 않은걸. 그후로 열 번쯤 더 가게 앞을 서성인 다음 마침내 결정을 내렸습니다.

해보자. 할 수 있을 거야.

한때는 만둣집이었고 그다음에는 술을 팔던 한남동 738-16번지 1층은 달콤한 향이 가득한 컵케이크 집이 되었고, 한때는 축구를 사랑했고 그다음에는 방황했던 나는 컵케이크를 굽고 커피를 만드는 컵케이크 집 주인이 됩니다. 우리의 만남은 그렇게 자연스럽게 어쩌면 너무나 우연히 운명적으로 이루어졌습니다.

돈

Money money money
Must be funny in the rich man's world
Money money money
Always sunny in the rich man's world
All the things I could do if I had a little money
It's a rich man's world

돈, 돈, 돈
부자들의 세상이란 분명히 재미있을 텐데
돈, 돈, 돈
부자들의 삶이란 언제나 행복할 거야
돈이 좀 있다면 뭐든지 할 수 있을 텐데
그게 바로 부자들의 세상이지

영화 〈맘마미아〉에서 메릴 스트립은 그리스의 한 예쁜 섬에서, 여자라면 누구나 꿈꿔볼 만큼 아름다운 호텔을 운영합니다. 평화롭고 행복하게만 보이는 그녀가 갑자기 심각한 얼굴로 노래를 부릅니다. "돈, 돈, 돈." 겉으로는 한없이 즐거워 보이지만 사실은 호텔 곳곳에 손봐야 할 일들이 너무 많아 돈이 필요하고, 또 여유로운 삶이 좋지만 생활을 유지하기 위해서는 끊임없이 손님들을 맞아 돈을 벌어야 한다며 돈, 돈, 돈을 노래합니다.

가게를 오픈하는 건 역시 마음과 용기 그리고 열정만 가지고 되는 일이 아니더군요. 메릴 스트립처럼 돈이 필요했습니다. 하지만 은행에서 척척 돈을 꺼내쓸 수 있을 만큼 부유하지도 않고 또 부모님께 손을 벌릴 만큼 어린 나이도 아닌 데다가, 곧 결혼도 앞두고 있어 정말이지 막막했습니다. 정말 어쩌면 좋지. 이미 장소도 정해졌고 아이템도 정해졌고 내 마음도 정해졌는데.

부모님께 회사를 그만두고 컵케이크 집을 열 거라는 이야기는 아직 꺼내지도 못한 상황이었습니다. 그러니 부모님의 도움을 받는다는 건 상상조차 할 수 없었지요. 하지만 언제나 든든한 그가 내 곁에 있습니다. 두 사람이 머리를 맞대고 고민하니 조금씩 실마리가 보였습니다. 우선 신혼집을 구하기 위해 책정해놓았던 예산을 줄이기로 합니다. 어차피 가게를 하게 되면 보통 가정집 거실의 기능을 가게에서 대체하면 되니 잠을 자고 간단히 식사만 해결할 수 있는 정도의 공간이면 충분하겠다고 생각했습니다. 집 위치도 가게와 회사와 가까우면 가까울수록 좋을 것 같았고요.

그리고 이 년 반 동안 직장 생활을 하며 모아두었던 적금을 과감하게 사용하기로 합니다. 인테리어 비용을 최대한 줄이고 가능하면 직접 물건을 구입해서 최소한의 시공만 업체에 맡기기로 했습니다. 소품은 아기자기한 장식품을 모으는 게 취미인 엄마의 도움을 받았습니다. 유럽과 남미의 벼룩시장 등에서 구입한 앤티크 소품들이어서 동화 같은 가게 분위기를 조성하는 데 매우 큰 역할을 해주었습니다.

마지막으로 보통 가게를 열면 반년 정도는 적자를 예상해야 한다고 하니 퇴직금은 오픈 이후 반년간의 운영비로 쓰기로 합니다. 그후는 어쩔 작정이냐고요? 글쎄요. 그건 나중에 걱정할 일이니까요. 지금은 이 정도로도 충분합니다. 욕심나는 만큼 꽉꽉 채우진 못하지만, 머릿속에 수놓은 그림만큼 완벽한 상태는 아닐지 모르지만 이제 시작이니까요. 지금부터 아름다운 이야기와 행복한 추억으로 채워나가면 될 테니까요.

Life is just a cup of cake

인생이 뭘까요.

인생이 뭐라고 정의 내리기엔, 그리고 인생에 대해 이렇다 저렇다 논하기엔 너무 어리다는 건 알고 있습니다. 하지만 어떤 결론을 내리기에 아직 이른 시기일지라도 내 인생은 이랬으면 좋겠다 하고 꿈꾸는 것에는 나이가 문제되진 않겠지요.

시간을 되돌려 언제 어디로 돌아가고 싶은지 내게 묻는다면 아마도 아무런 망설임 없이 2004년 독일이라고 말할 겁니다. 누군가에게 스페인이 자유라면 내게는 독일이 자유였으니까요. 교환학생을 유럽으로 가서 좋은 점은 바로 다양한 유럽 국가의 친구들을 한 번에 만날 수 있다는 것이었어요. 유럽 국가들 사이에는 '에라스무스' 라는 교환학생 시스템이 잘 갖춰져 있어 학생들의 활발한 교류가 이루어지고 있거든요. 파더본은 독일의 매우 작은 시골 도시인데도 스페인, 포르투갈, 영국, 프랑스, 핀란드 등 다양한 유럽 학생들과 함께 어울릴 수 있었습니다. 서로 말이 통하지 않더라도 아무런 문제가 되지 않을 만큼 눈으로 몸으로 마음으로 대화를 나누며 빛나는 날들을 보냈습니다. 반짝반짝.

수업은 주로 팀 프로젝트를 수행하는 형식으로 이루어졌는데 한번은 핀란드 친구와 그리스 친구와 함께 과제를 진행하게 되었습니다. 합리적인 북유럽 사람답게 핀란드 친구는 자신이 해야 할 일을 일찌감치 끝내고 넘긴 상태였고, 인생을 즐기며 여유롭게 사는 그러나 조금은 느린 남유럽 사람답게 그리스 친구는 마감 시간을 넘기고도 며칠 동안 아무런 연락이 없었습니다. 계획대로 되지 않으면 마음이 매우 불안하던 그 시절의 나는 그 친구에게 매우 화가 났습니다. 과제 제출일까지는 시간이 많이 남아 있었지만 그래도 우리 사이의 약속도 매우 중요하다고 생각했으니까요.

"한국 사람들은 원래 그렇게 완벽하고 철저하니? 모든 일이 계획대로 되어야 하는 거야? 살다보면 조금 늦어질 수도 있고 계획이 변경될 수도 있는 거지. 그렇게 심각한 일 아니잖아. 너무 걱정하지 마. 다 괜찮을 거야."

그때는 도무지 이해가 되지 않았습니다. 계획을 세워서 사는 삶이 얼마나 훌륭한 일인지 너 같은 아이는 모를 거라며 화를 냈으니까요. 하지만 이제와 생각해보니 내가 얼마나 어리석고 옹졸했는지, 마음이 아파옵니다. 긴 계획표를 적어두고 하나하나 성취할 때마다 금을 그어가며 만족해하는 것도 즐거운 일이지만, 아무런 계획 없이 하늘을 바라보고 바람을 느끼고 꽃을 즐기고 나무도 보고 천천히 식사를 하며 이야기를 나누는 여유로운 삶도 충분히 의미 있다는 것을 알게 되었기 때문입니다. 조금 천천히 그리고 더욱 충만하게.

우리네 삶은 계획한 일이 뜻대로 되지 않을 때도 있습니다. 그럴 때마다

상처받고 원망하고 슬퍼하기보다는 순간순간 주어지는 것에 감사하고 기뻐하며 살고 싶어요. 그런 마음으로 살아가려 노력하니 세상이 훨씬 아름다워졌고요. 다 괜찮을 거라고 생각하니 걱정도 없습니다.

Life is just a cup of cake.

가게 이름이 참 길죠? 팝송 〈Life is just a bowl of cherries〉에서 따온 이름이랍니다.

이곳은 달콤한 컵케이크를 굽는 집입니다. 이 자그마한 공간에서 사람들은 컵케이크도 나눠먹고 커피도 나눠마십니다. 날마다 다양한 사람들의 즐거운 이야기와 건강한 웃음으로 가득 찹니다. 어떤 사람들은 사랑을 나누기도 하고 또 어떤 이들은 미래의 꿈을 키우기도 합니다.

그래서 이곳에서만큼은 걱정이 없길 바랍니다.

사람마다 품고 있는 현실과 삶의 모양새가 다 다르니 다른 이의 세상과 그 삶을 일반화할 생각은 없습니다. 이 세상은 힘든 곳일 수도, 즐거운 곳일 수도 있겠지요.

하지만 적어도 컵케이크 집에서만큼은 인생이 행복하길 그리고 달콤하길 바라는 마음을 담았습니다.

그저 컵케이크처럼.

Life is

Life

설득

엄마 아빠에게

저는 독일에서, 여동생 솔은 한국에서, 엄마 아빠는 멕시코에서 각자 일 년의 시간을 보내고 크리스마스를 맞아 다 함께 멕시코시티 우리 집에 모였던 2004년 겨울이 생각나네요. 우리 가족이야말로 정말 '글로벌 패밀리' 라며 함께 모이면 각자의 일 년을 나누느라 정신없었죠. 독일 대학의 겨울방학은 한국처럼 길지 않아서 일주일 만에 독일로 돌아갈 짐을 꾸리면서 많이 아쉬웠지만, 한편으로는 굉장히 뿌듯하고 자랑스러웠어요. 가족 모두가 자신의 삶을 최선을 다해 열심히 살고 있다는 기분이 들었기 때문이죠. 그랬던 제가 대학을 졸업하고 회사에 입사하면서 점점 나 자신에 대한 부끄러움이 커지고 확신이 없어졌다면 이해하실까요.

세상에는 첫째도 있고 둘째도 있고 셋째도 있고 막내도 있을 테지만, 첫아이의 특별함이 있잖아요. 뭐랄까 더 많이 기대하고 더 많이 믿고 또 더 많이 미안하고 더 많이 해주고 싶은 마음. 그런 부모님의 마음을 잘 알고 있기에 그 기대에 부응하려고 그리고 믿음을 저버리지 않으려고 더 노력했던 것 알고 계시죠?

하지만 저도 잘 알고 있어요. 제 작은 노력에는 비교도 하지 못할 만큼 더 큰 부모님의 노력과 헌신 그리고 기도가 있었기에 지금의 제가 있다는 사실을 말이죠. 그래서 회사를 그만두고 카페를 한다는 것이 단지 내 인생이라며 나 혼자 덜컥 결정할 수 있는 문제가 아니라는 것도 알고 있습니다.

하지만 엄마 아빠, 2004년 겨울 멕시코에서 우리가 함께 나눴던 인생에 대한 자신감과 뿌듯함 그리고 무엇보다 주어진 삶에 대해 감사하는 마음이 사라진 저 자신을 회복하고 싶었어요. 건강한 에너지가 넘치는 나로 돌아가고 싶었습니다. 컵케이크를 굽는 일이 어쩌면 제가 평생 하게 될 일은 아닐지도 몰라요. 다만 지금 제게 가장 매력적인 일이고, 가장 하고 싶은 일이고 또 가장 행복한 일인 것은 확실해요.

어쩌면 이 일로 또 부모님의 마음을 아프게 해드렸는지도 모르겠습니다. 그래도 지금 저는 행복해졌어요. 제가 행복하니 엄마 아빠도 행복하시리라 믿어요. 하지만 그 정도로 만족하진 않으려고요. 속상해하신 만큼 더 많이 행복하게 해드릴 생각입니다. 컵케이크 많이 팔아서 말이죠! 항상 지켜봐주시고 또 응원해주셔서 고맙습니다.

샘 올림

추신: 갑작스럽게 대량주문이 들어와도 언제든 달려와줄 가족들이 있어 얼마나 든든한지 몰라요.

변신

"정의의 이름으로 너를 용서하지 않겠어!"라고 말하며 뱅글뱅글 돌면 짠 변신하는 그녀는 바로 세일러 문. 세일러 문처럼 뱅글뱅글 가게를 돌리기만 했는데 짠 하고 변신된다면 얼마나 좋을까요. 하지만 현실은 그렇지가 않지요.

한남동 738-16번지 1층의 문제점.

천장이 무척 낮다. 실내가 좁다. 바닥에 층이 졌다. 어둡다. 지붕에 기와가 있다.

요즘 인테리어 트렌드는 높은 천장과 노출 벽 그리고 에폭시로 처리한 바닥에 다양한 디자인의 의자를 무심하게 배열해놓고 앤티크 소품과 현대적인 소품을 함께 조화롭게 배치하여 빈티지 분위기를 내는 것이라고 합니다. 하지만 워낙 그 자체로 빈티가 나는 한남동 738-16번지 1층과 연출된 빈티지 인테리어는 영 어울리지 않습니다. 이곳의 문제점인 낮은 천장과 좁은 실내 그리고 작은 공간을 더 작게 보이도록 조각조각 분리해놓은 두꺼운 벽을 장점으로 활용할 수 있는 방법을 고민하기 시작했습니다.

영국에서 처음 반년간 머물렀던 집은 한국의 아파트와는 구조가 많이 달랐습니다. 한국의 집은 보통 거실과 부엌과 식사 공간이 크게 하나로 연결되어 있고 각각 방과 화장실만 따로 분리되어 있는데, 영국의 집은 각각의 공간이 모두 개별적으로 나뉘어 있습니다. 한국의 트인 공간에 익숙했던 내게 영국의 첫 집은 좁고 불편했습니다. 영국뿐만 아니라 유럽의 집들은 보통 기능별로 공간을 분리하곤 합니다. 식사 공간인 다이닝룸에서는 오직 식사만, 그리고 거실인 리빙룸에서는 TV 시청이나 간단한 다과를 즐기고 부엌에서는 요리를 합니다. 이런 구조 덕에 안락한 느낌이 드는 듯하고요. 좁고 낮고 공간이 분리되어 있는 한남동 738-16번지 1층을 잘만 개조하면 첫 영국 집의 느낌을 그대로 전할 수 있을 것 같았답니다. 이태원에서 만나는 영국 우리 집 거실. 어쩐지 나 말고도 좋아할 사람이 많을 것 같은 느낌.

본격적인 공사가 시작되었지만 나는 여전히 직장인입니다. 심지어 마지막 프로젝트는 일본에서 진행되는 행사. 매일 한남동 공사현장으로 출근하여 이것저것 챙겨도 부족할 텐데, 하루에 겨우 한두 번밖에 내다볼 수 없어 마음이 답답합니다. 그전 세입자로부터 가게를 넘겨받은 때가 3월 초이고 퇴사는 5월 중순에 하므로 가게를 오픈하려면 아직 3개월이나 남은 시점. 대부분 처음 가게를 시작하는 사람들은 인테리어 공사기간을 최대한 줄여서 되도록 빨리 문을 연다고 하는데 나의 경우는 조금 달랐습니다. 근무 시간 외에만 공사현장을 챙길 수 있으니 진행 속도가 느린 것은 너무나 당연한 일이었겠죠. 늦어지면 늦어질수록 더 많은 비용이 더 많이 발생했지요. 하지만 'Life is just a cup of cake' 잖아요! 하루나 이틀쯤 늦어지면 어때요. 하루하루 변해가는 가게를 지켜보는 과정 그 자체가 즐거움이고 행복인데요.

처음 벽에 나무패널을 붙인 날.
처음 하얀 페인트칠을 하고 하루를 꼬박 말린 후 사포질을 했던 날.
고급 빌라의 바닥재로 쓴다는 최고급 원목마루를 바닥에 깐 날.
눈물을 머금고 구입한 비싼 타일을 붙인 날.
이태원 앤티크 가게들을 수도 없이 들락거리며 저렴하고 예쁜 의자를 고르러 다녔던 날.

벽 어디쯤에 액자를 걸면 예쁠까 고민하다가 겨우 첫 못질을 한 날.
을지로상가를 돌며 조명을 구입했던 날.
통유리에 커다란 컵케이크 그림을 붙이던 날.
메뉴를 써놓을 요량으로 하얀 벽에 칠판 페인트를 칠했던 날.
기와 색과 잘 어울리는 자색의 차양을 설치하던 날.

꿈을 향한 발걸음이 하나하나 흔적으로 남을 때의 즐거움은 생각보다 훨씬 컸습니다. 그리고 드디어 어둡고 칙칙한 한남동 738-16번지 1층이 방금 동화 속에서 튀어나온 것 같은 사랑스럽고 환한 공간으로 완벽하게 변신했습니다. 두 달 전의 이곳과 정말 같은 공간인지 의심될 정도로 말이죠. 이런 걸 두고 진정한 '완벽 변신' 이라고 하는 게 아닐까요?

Life is just a cup of cake
Life is just a cup of cake

Life is just a cup of cake

커피

아, 커피 맛은 정말 기가 막혀
수천 번의 키스보다도 더 달콤하고
맛 좋은 포도주보다도 더 부드럽다네
커피, 난 커피를 마셔야 해
내게 즐거움을 주려거든
아, 내 커피 잔만 가득 채워주면 그만!
– 바흐, 〈커피 칸타타〉 중에서

노래의 내용을 잠시 살펴볼까요. 아버지 슐렌드리안은 커피 마시기를 좋아하는 젊은 딸 리센을 늘 못마땅하게 생각했습니다. 그는 딸에게 커피는 몸에 해로우니 마시지 말라고 여러 차례 말했지만 리센은 들은 척도 하지 않습니다. 어느 날 너무 화가 난 아버지가 딸에게 크게 화를 내자, 리센은 하루에 세 번씩 커피를 마시지 않으면 죽을지도 모른다고 말하면서 커피는 키스보다 더 달콤하고 술보다 더 부드러우며 진정으로 자신을 기쁘게 해준다고 노래합니다. 결국 아버지는 커피를 끊지 않으면 시집도 안 보내며 외출도 금지하고, 유행하는 옷도 사주지 않겠노라 선언하게 되죠. 그럼에도 리센은 커피만 마시게 해준다면 그런 것쯤은 포기할 수 있다고 말합

니다. 그랬던 그녀도 결혼은 하고 싶었던 모양입니다. 커피를 마시지 않기로 약속하는 대신 신랑감을 구해달라고 요구하죠. 리센이 이렇게 쉽게 커피를 포기하는 건가요? 물론 아닙니다. 리센은 남편의 첫번째 조건은 자신이 커피 마시는 것을 허락하는 남자라고 못 박았거든요. 리센이 그토록 사랑한 커피, 빼놓으면 안 되겠죠.

컵케이크 집은 커피를 전문적으로 판매하는 공간은 아니기 때문에 비싼 에스프레소 기계를 구입할 필요는 없을 것 같습니다. 물론 번쩍번쩍 화려한 최신형 에스프레소 기계가 탐이 나긴 하지만 돈도 없을 뿐만 아니라 욕심을 부리지 않기로 했거든요. 게다가 중고 커피머신을 판매하는 곳에서 무료로 커피 교육까지 해준다고 하니 일석이조! 일주일간 커피 수업을 받으며 에스프레소 뽑는 방법부터 우유 거품 내는 법 그리고 각종 커피 메뉴를 만드는 방법을 배웠습니다. 카페에 앉아서 마실 때는 몰랐던 오묘한 커피의 세계가 있더군요.

가게에 커피 기계를 들여놓자 드디어 조금은 카페 같아 보입니다. 처음으로 에스프레소를 뽑아 아메리카노를 만들어 마신 소감은, 나쁘지 않은 정도? 아직은 많은 연습이 필요합니다. 갈 길이 먼 바리스타이지만 메뉴만큼은 욕심을 부려 에스프레소, 아메리카노, 카페 라테, 카푸치노, 거기에 카페 모카와 캐러멜 마키아토까지 꽉꽉 채워넣었습니다. 몇 가지 시럽만 추가로 구비하면 척척 만들어낼 수 있다고 자신만만해했죠.

그런데 가게를 연 지 일주일 만에 시럽이 들어가는 달짝지근한 카페 모카와 캐러멜 마키아토는 메뉴에서 사라져버립니다. 혼자서 여러 종류의 커피를 한 번에 만들어내기가 쉽지 않았고 무엇보다 달콤한 컵케이크와 달콤한 커피는 어울리지 않았거든요. 그렇게 해서 컵케이크 집에서는 아메리카노, 카페 라테 그리고 카푸치노로 커피 메뉴가 단출해졌습니다. 커피와 물 혹은 커피와 우유만 있으면 뚝딱 완성할 수 있으니 만들기도 쉽고 시간도 절약되고 구비해야 하는 재료도 적어 여러 모로 좋습니다.

그러나 커피에 대한 고민은 여전합니다. 지금은 가게 오픈 초기에 도움을 많이 주신 분에게 커피를 받아서 쓰고 있지만 실은 유기농 커피나 공정무역 커피를 쓰고 싶은 마음이 있거든요. 언젠가 TV 다큐멘터리를 통해 커피를 수확하는 아이들의 땀과 눈물을 본 적이 있습니다. 우리 삶에 여유를 더해주는 커피를 한 잔씩 소비할 때마다 제3세계의 아이들에게 작게나마 힘이 될 수 있다면 얼마나 좋을까요. 카페를 운영하고 있으니 분명 일반 소비자보다는 더 큰 힘을 보탤 수 있을 테니 말이죠. 착한 커피는 어쩐지 맛도 더 좋을 것 같아요.

컵케이크 vs 머핀

작은 요정들이 생일파티에서 먹을 것처럼 작고 귀엽다는 의미에서 페어리 케이크fairy cake라고도 불리는 컵케이크는 하나씩 들고 먹기 좋도록 작은 컵에 구운 케이크입니다. 달콤한 케이크 생각은 간절한데, 베이커리에서 파는 커다란 케이크가 부담스러울 때 컵케이크는 안성맞춤입니다. 컵케이크는 이름 그대로 대형 케이크의 재료를 그대로 쓰면서 한 사람이 먹기 좋은 컵 크기로 구워냅니다. 그렇기 때문에 손님들은 자신이 원하는 맛과 색의 케이크를 골라먹는 재미도 즐길 수 있답니다.

컵케이크 레시피는 일반 사이즈의 케이크 레시피와 크게 다르지 않습니다. 버터, 설탕, 달걀, 밀가루만 있으면 누구나 손쉽게 만들 수 있죠. 인터넷이나 요리책에서 접할 수 있는 케이크 레시피면 뭐든지 컵케이크 레시피로 활용할 수 있습니다. 물론 컵케이크는 일반 케이크보다 크기가 작기 때문에 굽는 시간이 훨씬 빠르다는 차이는 있지만 말이죠. 오븐에 넣고 TV 드라마에 빠져 있다보면, 새까맣게 탄 컵케이크를 꺼내게 될 수도 있으니 주의하세요.

컵케이크는 이름 그대로 컵에 구운 케이크입니다. 베이커리에 가면 흔

히 볼 수 있는 시폰케이크나 파운드케이크, 스폰지케이크 등 재료의 배합이나 반죽하는 방법에 따라 케이크의 풍미가 달라지는 특정 스타일의 케이크를 지칭하는 것이 아니라, 단지 컵에 구운 일인용의 케이크를 부르는 이름이랍니다. 파운드케이크의 레시피대로 만들어서 컵에 넣어 구우면 컵케이크가 되고, 평소에 좋아하던 초콜릿케이크의 레시피대로 만든 반죽을 컵에 넣어 구우면 그것도 컵케이크가 되는 것입니다.

반면 머핀은 밀가루를 많이 넣고 구운 빵의 한 종류라고 볼 수 있습니다. 밀가루가 많이 들어가기 때문에 부피가 커지고 빵의 밀도가 높아져 컵케이크보다는 빽빽하고 단단한 질감의 빵이 되는 것이죠. 우유와 함께 먹으면 한 끼 식사로 충분할 만큼 든든합니다. 컵케이크와는 컵으로 굽는다는 공통점이 있어 모양만 같을 뿐 그 맛이나 용도는 전혀 다릅니다. 컵케이크는 디저트, 머핀은 식사 대용, 이렇게 기억하면 되겠지요.

또 다른 차이점을 들자면 바로 프로스팅frosting입니다. 프로스팅은 케이크 위에 바르는 크림을 뜻합니다. 다른 케이크들과 마찬가지로 컵케이크도 케이크 위에 프로스팅이 올라간답니다. 컵케이크 프로스팅은 미국 스타일의 버터크림부터 크림치즈 그리고 이탈리안 머랭 스타일의 버터크림까지 무척 다양합니다. 머핀에는 프로스팅을 올리지 않습니다. 식사 대용으로 먹는 머핀과 지나칠 정도로 단 프로스팅은 어울리지 않기 때문이죠.

컵

오븐도 구입했고 커피 기계도 들여놓았으니 이제는 본격적으로 컵케이크를 구울 차례입니다. 어쩌면 순서가 조금 바뀌었는지도 모르겠어요. 보통은 컵케이크를 많이 구워보고 확신이 생긴 다음에 가게를 열려고 할 텐데 말이죠. 사실 어떤 일을 시작하고 나서 확신이 생길 만큼 잘하게 되는 경우는 매우 드문 것 같아요. 항상 목표는 현재의 상태보다 높은 곳에 있고 목표에 도달하면 또 그만큼 높아진 또 다른 목표가 생기곤 하니까요.

앞뒤가 조금 바뀌었다 해도 크게 문제될 건 없겠지요. 가게를 준비해놓고 케이크 굽기를 연습하고, 만약 케이크가 뜻대로 잘 안 구워지면 더 열심히 구우면 되고, 정성을 다해 굽다보면 언젠가는 맛있고 예쁜 컵케이크를 만들게 될 테니 말입니다. 그 사이에 케이크를 팔 수 없게 된다면, 커피만 맛있게 만들어 팔면 되죠.

컵케이크를 구우려고 보니 컵케이크 컵이 또 문제입니다. 컵케이크의 가장 큰 매력은 작고 앙증맞은 크기인데, 한국에서 구할 수 있는 컵케이크 컵 중엔 특별히 마음에 쏙 드는 사이즈를 찾을 수 없었거든요.

처음 구운 컵케이크 컵은 바닥 지름이 4.5센티미터.
4.5센티미터 컵에 구운 컵케이크는 바닥은 좁고 위로 올라갈수록 넓게 퍼지는 모양이 되었습니다. 컵 안에 들어가는 반죽의 양이 적으니 케이크의 크기도 작고 무엇보다 좁은 바닥에 비해 위가 지나치게 넓은 모양이라 불안정한 느낌이랄까요. 컵케이크가 퍼져 보여 전혀 귀엽지가 않더군요.

두번째로는 바닥 지름이 5.5센티미터짜리 컵.
5.5센티미터 컵은 분명 4.5센티미터 컵에 비해 크기도 넉넉하고 모양도 안정적으로 잘 나왔지만 아무래도 앙증맞은 컵케이크 이미지와 어울리지 않게 너무 큰 느낌입니다. 역시 예쁘지 않네요.

세번째로는 미국의 한 컵케이크 블로그에서 본 파티용 너트 컵.
깔끔하고 귀여워 보여 마음속에 찜해두었다가 미국에서 유학 중인 후배에게 부탁해 어렵사리 손에 넣게 되었습니다. 일반 머핀 컵은 주름이 잡혀 있어 모양을 조절하기가 어렵지만 너트 컵은 고정적인 형태라 깔끔하고 일정한 모양과 크기의 컵케이크를 구울 수 있는 장점이 있습니다. 하지만 일반 머핀 컵에 비해 컵을 벗기기가 어려운 단점이 있었지요. 보기에 예쁜 것도 중요하지만 손님들이 들고 먹기에 불편한 컵을 쓸 수는 없습니다.

마음속에 그려놓은 노루지의 바닥 지름 5센티미터의 컵을 찾기란 쉬운 일이 아니었습니다. 일단 한국에서는 찾기 어려웠고 외국의 베이킹 재료 판매 사이트를 뒤져봅니다. 미국, 영국, 호주, 뉴질랜드 그리고 독일, 스페인까지 언어가 통하는 나라의 사이트는 전부 다 살펴보았습니다. 원하는 상품이 있으면 국제배송이나 인터넷 결제가 되지 않았고 국제배송을 해주는 곳에서는 원하는 상품을 찾을 수가 없는 등 컵을 사는 과정이 결코 쉽지 않았죠. 그러던 중 컵케이크 재료만 전문으로 취급하는 호주의 한 인터넷 쇼핑몰을 드디어 발견! 바닥 지름이 5센티미터짜리인, 그토록 원하던 컵케이크 컵을 손에 넣게 되었습니다.

드디어 굽게 된 바닥 지름 5센티미터짜리 컵.
이거예요, 이거!

베이킹 실전

이제는 더 이상 미룰 수가 없습니다.

오븐도 들여놓았고 적당한 컵케이크 컵도 구했으니 이제 본격적으로 실력을 보여줄 차례입니다. 주방기구만 구비되면 컵케이크는 얼마든지 구울 수 있다고 큰소리를 치긴 했지만 제대로 실력발휘를 할 수 있을지 약간 걱정이 됩니다. 컵케이크 집을 해야겠다고 생각하기 훨씬 전부터 꾸준히 모아둔 컵케이크 관련 자료와 레시피들을 모두 꺼내놓고 순서대로 굽기 시작했습니다.

우선 바닐라 컵케이크.

미국의 유명 컵케이크 베이커리인 '매그놀리아'의 레시피를 그대로 따라서 구워봤는데 케이크가 너무 달았습니다. 그리고 촉촉한 식감의 케이크가 아니라 머핀보다 약간 부드럽고 케이크보다는 다소 뻑뻑하더라고요. 이런 맛을 뉴요커들이 그렇게나 사랑한다니, 조금 실망입니다. 그런데 또 생각해보면 그들이 자신들의 비밀 노하우를 전부 다 공개했을 것 같진 않으니, 그 맛의 비밀은 이제부터 알아내야 할 숙제랄까요.

그다음에는 초콜릿 컵케이크.

초콜릿 케이크의 레시피는 인터넷으로 검색해보아도 베이킹 책을 읽어 보아도 너무 많습니다. 숙제는 그중에 가장 맛있는 레시피를 찾아 나만의 레시피로 만드는 것. 우선 코코아가루를 사용해서 굽는 초콜릿 케이크는 제외했습니다. 아무래도 초콜릿 케이크에는 카카오 함량이 높은 진하고 질 좋은 초콜릿을 사용해야 맛있는 케이크가 나올 텐데, 코코아가루를 넣은 케이크를 어찌 초콜릿 케이크라고 부를 수 있겠어요!

한 번, 두 번 케이크를 다시 구울 때마다 맛이 점점 좋아집니다. 아직 익숙하지 않아 케이크를 한 번 굽는 데 시간과 노력이 많이 필요하지만, 그래도 점점 케이크의 맛이 좋아지니 구울 때마다 신이 납니다. 설탕 양과 밀가루 양을 각각 조절하는 등 이것저것 시도해볼 때마다 맛과 식감이 조금씩 달라지는 것이 매우 흥미롭기도 하고요. 생각해보면 세상에 존재하는 모든 케이크와 빵은 대부분 '밀가루, 우유, 달걀, 설탕' 이라는 기본 재료만으로 만들 수 있는데, 재료의 비율 차이와 섞는 순서 그리고 반죽 방법에 따라 갖가지 모양과 맛의 케이크와 빵이 구워지니 참 신기하고 놀라운 제과제빵의 세계가 아닐 수 없습니다. 그런 의미에서 케이크를 굽는 일도 일종의 과학활동이나 예술활동이라고 부를 수 있지 않을까요.

LA의 유명한 컵케이크 집인 '스프링클스 컵케이크' 의 레시피를 따라 구워본 딸기 컵케이크는 일단 밀가루 양이 너무 많아 뻑뻑하고 딸기 퓌레 양은 생각보다 적어 딸기의 맛과 향을 충분히 느낄 수 없었습니다. 그들의 딸기 버터크림은 무척 상큼했지만 지나치게 달아서 우리 입맛에는 맞지 않을 것 같습니다. 밀가루 양을 조금 줄이고 딸기 퓌레 양을 늘리고 달걀의 양을 조절하면서 '이샘'표 딸기 컵케이크 레시피를 완성해갑니다. 세상엔 정말 훌륭하고 맛있는 레시피가 차고 넘치지만 그 레시피들을 나만의 것으로 다듬고 개발하는 것은 각자의 몫이 아닐까요.

그렇게 완성된 딸기 컵케이크와 초콜릿 컵케이크는 시식 결과 합격.

바닐라 컵케이크는 아직도 풀지 못한 숙제로 남았습니다. 처음부터 완벽하게 잘할 수는 없으니 차차 나아질 것을 기대하면서, 아자아자!

아이처럼

진짜 누구 노래 가사처럼
너무 좋아서
너무 벅차서
눈을 뜨면 다 사라질까봐 잠 못 들 지경.

메뉴 선정

1차 메뉴

처음부터 욕심을 내서 이것저것 굽기보다는 두세 가지라도 제대로 집중해서 굽기로 했습니다. 기본이 되는 케이크는 바닐라, 초콜릿, 딸기, 블루베리, 녹차 다섯 개로 정하고 프로스팅은 이탈리안 머랭 스타일의 버터크림, 초콜릿 가나슈 크림, 딸기 버터크림, 크림치즈로 골랐습니다. 다섯 종류의 케이크와 네 가지 프로스팅을 각각 다르게 짝짓는 방법으로 여덟 종류의 컵케이크를 만들기 시작!

- 바닐라 컵케이크 위에 바닐라 버터크림을 얹은 오리지널 바닐라
- 바닐라 컵케이크 위에 바닐라 버터크림을 얹고 알록달록한 스프링클sprinkle 케이크 위에 뿌리는 식용 장식을 잔뜩 뿌린 스프링클 바닐라
- 바닐라 컵케이크 반죽에 초콜릿칩을 추가해 구운 바닐라 초콜릿칩 컵케이크 위에 초콜릿 가나슈 크림을 얹은 바닐라 초콜릿칩
- 초콜릿 컵케이크 위에 초콜릿 가나슈를 얹은 올 어바웃 초콜릿
- 딸기 컵케이크 위에 딸기 버터크림을 얹은 베리베리

- 크림치즈를 넣어 구운 블루베리 컵케이크 위에 블루베리 크림치즈를 얹은 블루베리 크림치즈
- 녹차 컵케이크 위에 녹차 크림치즈를 얹은 더블 그린티
- 녹차 컵케이크 위에 오리지널 크림치즈를 얹은 클래식 그린티

2차 메뉴

홈메이드 스타일의 컵케이크를 굽겠다면서 장식을 과하게 하는 것은 왠지 어울리지 않으니 스프링클 사용을 최소화하기로 합니다. 알록달록한 스프링클이 올라간 컵케이크는 보기에 예쁘지만 고급스러운 느낌이 떨어지네요. 그리고 내가 엄마라면 아이에게 스프링클을 먹이고 싶지는 않겠다 싶어 과감히 포기했습니다. 같은 마음으로 식용색소를 절대 사용하지 않겠다는 다짐도 했죠. 이제 빨강 색소가 많이 들어가는 레드벨벳 컵케이크도 구울 수 없고 알록달록 귀여운 노란색, 분홍색, 파란색 크림도 만들어 쓸 수 없게 되었지만 그래도 마음은 훨씬 편안합니다. 모양보다는 케이크의 맛에 더 집중하기로 결정!

1차 메뉴에서 살아남은 컵케이크 ⟶

- 오리지널 바닐라, 올 어바웃 초콜릿, 베리베리

1차 메뉴에서 약간 바뀐 컵케이크 ⟶

- 초콜릿칩을 추가해 구운 바닐라 초콜릿칩 컵케이크 위에 바닐라 버터 크림과 초콜릿칩을 함께 얹은 바닐라 초콜릿칩(크림이 바뀌었어요!)
- 블루베리 컵케이크 위에 블루베리 크림치즈를 얹은 블루베리 크림 치즈(크림치즈를 넣어 구웠더니 케이크가 식으면서 크림치즈가 생각보다 딱딱해져 식감이 떨어지는 것 같아 크림치즈는 제외했습니다)

새로운 2차 메뉴 ⟶

- 초콜릿 컵케이크 위에 고소하고 달콤한 피넛버터크림을 얹은 피넛 버터 초콜릿
- 초콜릿 컵케이크 위에 달지 않은 녹차 크림치즈를 얹어 색다른 맛을 낸 오리엔탈 초콜릿

초콜릿 케이크의 반응이 괜찮아 초콜릿을 사용한 컵케이크 메뉴를 더 늘리고 바닐라 컵케이크는 줄이기로 합니다. 바닐라가 뭔지 잘 모르는 손님들이 많더라고요. 그리고 녹차 컵케이크는 1차 메뉴에 있던 두 종류의 컵케이크를 하루 걸러 한 번씩 번갈아 판매하기로 합니다.

3차 메뉴

가게 오픈 전에는 전혀 예상치 못했던 컵케이크에 대한 뜨거운 반응에 깜짝 놀라 가게 오픈 한 달 만에 케이크를 굽고 프로스팅을 만들고 판매하는 모든 과정을 도저히 혼자서 할 수 없는 지경에 이르렀습니다. 그렇게 해서 새로운 직원을 맞이하게 됩니다. 평소 홈베이킹을 즐기던 그녀가 합류하면서 컵케이크 집의 메뉴도 한차례 업그레이드되었죠.

- 오리지널 바닐라
- 바닐라 초콜릿칩
- 피넛버터 초콜릿
- 오리엔탈 초콜릿
- 올 어바웃 초콜릿
- 베리베리
- 블루베리 크림치즈
- 더블 그린티(클래식 그린티 메뉴는 특별한 매력이 없는 것 같아 제외)
- 바나나와 호두를 넣어 구운 바나나 컵케이크 위에 오리지널 크림치즈를 얹은 바나나 크림치즈(호두를 넣어 씹는 맛을 가미하면서 단맛을 많이 줄여 어른들도 즐길 수 있는 메뉴가 되기를 바라며 만들었답니다)
- 바닐라 반죽과 코코아 반죽을 반씩 넣어 마블링한 후 홈메이드 크럼블을 얹어, 구운 크림을 싫어하는 사람들도 쉽게 먹을 수 있는 초콜릿 마블

- 초콜릿칩을 넣어 구운 커피 컵케이크 위에 이탈리안 머랭 스타일의 모카 버터크림을 얹은 마이 모카
- 견과류와 시나몬가루를 넣어 구운 향긋한 당근 컵케이크 위에 오리지널 크림치즈를 얹은 당근 컵케이크

3차 메뉴를 출시하면서 곁에서 컵케이크를 함께 구워줄 친구가 생겼으니 남는 시간을 활용해 새로운 메뉴를 개발하고 시도해볼 수 있습니다. 이제 더 다양한 컵케이크를 개발하고 선보일 일만 남은 거죠!

빨간 머리 앤

천방지축에 실수투성이인 빨간 머리 앤은 눈에 보이는 모든 것을 사랑하고 자신을 사랑해주는 사람들을 위해 열심히 노력하는 사랑스럽고 귀여운 아이입니다.

어느 오후 마릴라 아주머니는 앤에게 초콜릿 케이크 굽는 법을 가르쳐주기로 합니다. 특유의 무표정한 얼굴로 앤이 처음 구운 초콜릿 케이크를 맛보고는 칠십 점을 줍니다. 매슈 아저씨는 백 점을 주고 싶지만 아주머니의 눈치를 살피죠. 신이 난 앤은 친구 다이애나에게 자신이 구운 초콜릿 케이크를 선물합니다.

앤이 말했습니다.

"정말로 행복한 나날이란, 멋지고 놀라운 일이 일어나는 날이 아니라 진주알들이 하나하나 줄로 꿰어지듯이, 소박하고 자잘한 기쁨들이 조용히 이어지는 날들인 것 같아."

빨간 머리 앤이 사랑하는 가족과 친구들을 위해 정성껏 구웠던 케이크처럼 소박하고 투박하지만 사랑과 정성을 듬뿍 담은 컵케이크를 구워내고 싶습니다. 앤의 말처럼 진짜 행복은 작은 기쁨들이 이어지는 것이라고 믿으면서 말이죠.

폭풍 전야

드디어 5월 29일. 아침에 눈을 뜨자마자 벌써 마음이 분주합니다. 오늘 해야 할 일을 머릿속으로 쭉 생각해보니 과연 하루에 이 많은 일을 다 해낼 수 있을지 걱정이 됩니다. 자꾸 미루지 말고 진작 해놓을걸! 항상 시간이 많을 때는 다음으로 미루다가 막상 발등에 불이 떨어져서야 후회하는 날들의 반복이니 말이에요. 심혈을 기울여 준비했던 포장용 박스는 생각보다 늦어져 오픈 날에 맞추지 못할 것 같아 마음이 아프지만 일단 대신 사용할 수 있는 종이봉투를 구입하러 방산시장에 가야 합니다. 방산시장 가는 길에 아이스 커피용 빨대도 구입해야 하고요. 빨대 정도도 미리 준비하지 못한 자신을 자꾸 책망하게 됩니다. 방산시장에 다녀와서는 잠시 친구가 다녀가기로 했고, 판매관리를 도와주는 포스POS, point of sales 시스템 설치를 도와주실 분이 오기로 했으니 그 일들을 다 처리하고 나면 늦은 오후가 될 것 같습니다. 그때부터는 오픈 날을 위한 컵케이크를 구울 예정입니다. 빠듯하긴 하지만 크게 무리한 일정은 아닙니다.

그러나 언제나 계획대로 일이 진행되는 것은 아닌가봅니다. 오후 세 시쯤 전화 한 통이 걸려왔습니다. 신랑을 통해 소개받은 지인이 오늘 중요한 모임에 가져간다며 컵케이크 서른 개를 주문해주었습니다. 참 고마운 일이지만 지금은 당장 컵케이크 서른 개를 구워낼 시간도 없고 준비도 안 된 상황. 그래도 명색이 첫 주문인데 거절하고 싶지 않아 최대한 빨리 만들어 보겠다고 말하고는 분주하게 준비를 시작했습니다.

메뉴는 가장 자신 있게 선보일 수 있는 초콜릿 컵케이크. 원래 계획대로라면 지금은 잠시 여유롭게 커피 한 잔을 마실 시간인데, 땀을 뻘뻘 흘리며 컵케이크를 굽고 있습니다. 반죽을 오븐에 넣고 숨 돌릴 틈도 없이 프로스팅을 만듭니다. 컵케이크 서른 개에 전부 같은 프로스팅을 올리는 건 지루하니, 만들기 쉽고 맛도 좋은 피넛버터 프로스팅과 어른들 입맛에 맞게 달지 않은 그린티 크림치즈 프로스팅을 선택했습니다. 스탠드 믹서가 두 대면 훨씬 시간도 절약되고 일이 수월할 텐데 한 대로 번갈아가면서 만들려다보니 시간도 일도 두 배가 되어 마음이 더욱 급합니다. 드디어 오븐의 타이머가 울리고 컵케이크를 꺼냈는데…… 맙소사! 서른여섯 개의 컵케이크 중 절반 정도는 가운데가 푹 가라앉아 도저히 상품으로 내놓을 수 없을 정도입니다.

당장 내일이 오픈 날인데 컵케이크 굽는 실력이 이래서야 무슨 가게를 하겠어.
그러게 진작 컵케이크 굽는 연습을 더 많이 했어야지, 너무 게을렀어.
정말 내일 가게를 오픈할 수 있을까?
내가 무슨 일을 한 거지. 갑자기 무슨 컵케이크 가게야!

지금 포기하기엔 너무 늦은 거겠지?

꺅!

마음속에서는 온갖 잡념이 가득하지만 일단 상태가 괜찮은 컵케이크 스물네 개를 골라 식힘망 위에 올립니다. 손님이 주문한 서른 개는 도저히 맞출 수 없을 것 같습니다. 다시 컵케이크를 구울 수도 없으니까요. 약속된 시간은 다가오는데 케이크가 충분히 식지 않아 프로스팅을 올릴 수가 없습니다. 크림을 올린 케이크 종류는 표면뿐만 아니라 내부까지 확실히 식어야 온도에 민감한 크림을 바를 수가 있거든요. 자칫 서둘러 발랐다간 크림이 줄줄 흘러내려 수습 불가능한 상태가 될지도 모르니까요. 그런데 시간이 부족한 것이 문제입니다. 아무리 케이크를 맛있게 굽더라도 고객이 원하는 시간에 맞추지 못하면 맛있는 케이크가 무슨 소용이겠어요. 그래서 일단 임시방편으로 케이크를 잠시 냉장고에 넣어 식히기로 합니다.

냉장고에서 급하게 식힌 케이크 위에 서둘러 두 가지 종류의 크림을 바릅니다. 첫 작품인데 특별히 더 예쁘게 바르고 싶지만 그럴 여유가 없습니다. 손님은 이미 사무실을 출발해 가게로 오고 있다는 전화를 받았거든요. 맙소사. 케이크를 제시간에 만들어내는 것도 걱정이고 고작 컵케이크 서른 개 만들고는 온 가게를 난장판으로 해놓은 것도 걱정입니다. 우여곡절 끝에 정말 겨우겨우 컵케이크 스물네 개를 완성해냈습니다. 휴.

손님은 고맙다며, 정말 맛있어 보인다는 칭찬을 건네주고 가져가셨지만, 사실 정말 맛있게 먹을 수 있는 케이크였는지는 잘 모르겠습니다.

MILK

어느덧 저녁 일곱 시. 천천히 여유롭게 오픈 날에 내놓을 컵케이크를 구울 거라는 애초의 계획은 이미 사라진 지 오래고 남은 건 완전 난장판이 된 가게와 땀으로 범벅된 내 모습. 그리고 더 맡으면 토할 것 같은 달콤하고 진한 초콜릿 냄새뿐. 이래서야 오픈은 제대로 할 수 있을는지. 살림이라고는 한 번도 해본 적 없고, 제과점에서 아르바이트를 해보길 했나 카페에서 커피를 뽑아보길 했나, 정말이지 내가 이 일을 과연 잘할 수 있을지, 정말 내가 원했던 일이 바로 이런 것인지…… 마음속은 뭐라 정의 내릴 수 없는 온갖 감정들로 가득 찹니다.

두려움. 아마 그것이겠지요. 이게 정말 현실이구나. 내일부터 겪게 될 현실은 영화 속에나 드라마 속에 나오는 우아하고 아름다운 카페 주인의 삶이 아닐지도 모른다는 두려움.

마음이 복잡하면 일단 접어야 합니다. 아무리 생각해봐도 결론이 나지 않을 때는 더 생각하지 말아야 합니다. 내일이 오픈 날인데, 아직 컵케이크는 하나도 굽지 못했지만 지금은 꼼짝 못 할 것 같아 일단 접기로 합니다. 오늘은 좀 자야겠습니다. 자고 일어나면 방법이 생기겠죠.

컵케이크 집, 과연 오픈은 할 수 있는 걸까요?

오픈식

컵케이크 집 오픈을 하루 앞에 두고 달콤한 초콜릿 냄새가 멀미 날 정도로 싫어진 나는 청소도 미처 끝내지 못한 채 일단 집으로 돌아왔습니다. 더 이상 가게에 있어봤자 아무 일도 할 수 없을 것 같으니. 그러곤 일단 잠이 들었습니다. 그런 때 잠을 잘 수 있다니, 꽤나 놀라운 능력입니다. 그렇지만 스스로에 대한 어떤 믿음 같은 게 있었달까요. 그래, 지금은 이렇게 자지만 내일 아침엔 분명 일찍 일어나 열심히 케이크를 구워서 오픈하는 데 전혀 지장 없도록 잘해낼 거야. 그런 자신감은 도대체 어디서 나오는 건지, 내가 봐도 신기할 뿐입니다.

드디어 5월 30일 아침이 밝았고, 새벽 다섯 시에 눈을 뜹니다. 새벽 다섯 시에 눈을 떠본 건 한 오 년 전쯤 공항 가던 날 이후 처음입니다. 오랜만에 새벽 다섯 시의 세상을 만나니 상쾌하고 기분이 좋더군요. 어제 저녁에 도대체 무슨 일이 있었는지 전혀 기억도 나지 않을 만큼. 세수는 나중으로 미루고 일어나자마자 그대로 가게를 향해 달려갑니다.

가게로 내려와 차분히 컵케이크를 굽기 시작합니다. 맑은 새벽 공기가

Life is just a cup of cake

가득한 가게 안에는 오븐이 온도를 높이기 위해 내는 '탁탁' 소리가 조용한 실내를 울립니다. 마음을 깨우는 기분 좋은 소리. 적정 온도에 도달하기까지 열심히 온도를 높이는 오븐처럼, 지금 마음을 유지하기 위해 열심히 나 자신에게 시동을 걸면서 살아야겠다고 다짐하며 굽는 초콜릿 컵케이크는 분명 맛이 기가 막힐 테지요. 바닐라 컵케이크 열두 개, 초콜릿 컵케이크 스물네 개, 녹차 컵케이크 열두 개, 블루베리 컵케이크 열두 개까지 총 예순 개의 컵케이크를 굽고 나니 벌써 여덟 시입니다. 이제 얼른 집에 가서 깨끗이 씻고 컵케이크 집 주인 같은 말끔한 모습으로 변신해야 할 시간입니다.

열 시.

가게로 돌아와 잘 식힌 컵케이크 위에 미리 준비해둔 프로스팅을 올립니다. 회사 다니면서 취미로 배워두었던 크림 짜기 실력을 발휘해보리라. 각종 모양의 깍지로 한껏 멋을 냅니다. 그런데 이상하게 예전에 배울 때와는 다르게 모양이 잘 나오질 않습니다. 어쩐다? 조금 고민하다 스패튤러로 크림을 매끄럽게 바르기로 했습니다. 조금 더 홈메이드 느낌이 나면서 자연스러워 보여 마음이 한결 놓입니다. 한 시간 정도 프로스팅을 바르고 토핑을 올리며 컵케이크 작품을 만들고 나니 어쩐지 예술하는 아티스트가 된 것 같은 기분이 들어 어깨가 으쓱으쓱. 그러는 사이 벌써 오픈 예정 시각이 되었군요.

열한 시.

정말 두근거린다는 건 이럴 때 쓰는 표현. 에스프레소와 카페 라테 그리고 녹차 컵케이크를 주문한 첫 손님 두 분께 뭔가를 서비스로 드렸던가 아님 그냥 감사 인사만 전했던가는 가물가물 기억이 나지 않습니다. 생애 처음으로 직접 뽑은 커피와 컵케이크를 전혀 모르는 누군가에게 맛보게 한 순간이라 무척 긴장했거든요. 이태원에서 근무하는 분들이라 그후에도 종종 들러주셨는데 뵐 때마다 정말 반갑더라고요. 마치 적지에서 아군을 만난 것같이. 고맙습니다.

많은 분들이 들러주셨지만, 첫 손님과 멋진 테이프 커팅을 준비해준 제일기획 선배님들의 이야기는 꼭 해야겠습니다. 제일기획은 광고하는 회사로 우리가 흔히 아는 매체 광고 외에 현장에서 마케팅 활동을 하는 프로모션도 큰 업무 중 하나입니다. 프로모션에는 스포츠 마케팅이나 홍보, 이벤트 등이 포함되지요. 이 년 반 동안 일했던 곳도 바로 이 프로모션 본부랍니다. 가게 오픈 준비를 하면서 이것저것 신경 쓸 게 너무 많아 막상 오픈 당일을 위한 특별한 이벤트를 준비하지 못했는데, 월드컵 개막식이나 브랜드 론칭 행사, 각종 스포츠 대회 진행 같은 크고 중요한 일들을 하는 선배들이 컵케이크 집 오픈식을 위해 직접 테이프 커팅 이벤트를 준비해주었습니다. 그리 길지 않았던 직장생활 동안 고민도 들어주고 용기도 주었던 선배들과 함께 새로운 인생을 향한 테이프 커팅식을 치르고 나니 비로소 실감이 나는 것 같습니다. 고맙습니다.

그리고 밤늦도록 상그리아를 마시며 오픈을 축하해주고 격려해주었던 분들, 모두 고맙습니다.

시행착오

가게를 오픈하고 나니 이전보다 훨씬 바빠졌습니다. 아침에 가게에 나와 간단히 청소를 하고 화분에 물을 주고 난 뒤 컵케이크에 크림을 바르고 토핑을 얹으면 금방 열두 시가 됩니다. 그때부터는 점심식사를 끝내고 들르는 손님들을 맞아 커피를 만들고 컵케이크를 판매합니다. 그렇게 오후가 되고 저녁이 됩니다. 주로 책상에 앉아서 일을 하다가 몸을 움직이는 일을 하려니 온몸이 쑤시고 아프지 않은 곳이 없습니다. 물론 속도도 한참 느리고요.

막상 컵케이크를 구울 시간이 없습니다. 카페라면 모름지기 조용하고 차분한 분위기여야 하니까 낮에 큰 소리로 믹서를 돌리면서 케이크를 굽는 것은 어울리지 않는다고 생각했거든요. 게다가 아직 커피를 뽑는 것도 능숙하지 않고 베이킹도 쉽게 척척 하는 단계가 아니니 두 가지를 한꺼번에 한다는 건 정말 엄두가 나질 않습니다. 상황이 이렇다보니 컵케이크 굽는 일은 가게 업무가 끝나는 늦은 저녁 시간이나 다음날 새벽으로 미룰 수밖에요. 저녁 늦게까지 컵케이크를 굽는 건, 아무리 그래도 아직 신혼인데 조금 억울하다는 생각이 들어 차라리 아침잠을 포기하는 것으로 결론을 내렸습니다. "두 시간만 일찍 일어나지 뭐." 쉽게 결정한 일이었지만 두 시간 안에 케이크를 모두 굽는 것은 무리였고, 결국 세 시간 일찍 일어나 케이크를 구웠죠.

출근길이나 등굣길에 고소하니 빵 굽는 냄새를 풍기는 빵집 앞을 지나며 아, 이 냄새가 바로 행복이구나 생각했던 기억이 있습니다. 아침부터 행복한 냄새를 맡으며 빵 굽는 사람은 참 좋겠다고 부러워하곤 했지요. 막상 꿈을 이루고 보니 물론 행복하긴 하지만 피곤하기도 합니다. 안 그래도 새롭게 시작한 일을 하다보니 이전보다 훨씬 피곤한데, 게다가 새벽 일찍 일어나야 하니 피로함이 두 배로 느껴집니다. 이렇게 케이크를 굽다가는 오래 하지 못할 것 같다는 불길한 예감이 들 정도입니다. 행복을 찾아 회사를 그만두고 가게를 차렸지만 그래도 케이크 굽는 일은 역시 노동입니다. 어느 정도 예상은 했지만 혼자서 케이크를 굽고, 커피를 만들고, 손님을 맞이하고, 설거지를 하고, 청소를 하면서 하루 종일 가게를 지키는 것은 쉬운 일이 아니더군요.

그러던 어느 날, 동생의 소개로 꽤 유명한 레스토랑을 여러 곳 운영하고 있는 오너 셰프이자 레스토랑 컨설턴트를 만났습니다. 먼저 이 길을 선택한 선배 입장에서 여러 가지 조언을 해주셨는데 컵케이크를 구울 적당한 시간을 찾지 못해 고민하던 나에게 케이크는 원래 하루 정도의 숙성 시간을 거쳐야 가장 맛있는 상태가 된다며, 컵케이크를 이틀 걸러 한 번씩 굽고 크림은 그날그날 바르면 케이크 맛이 더욱 좋아질 거라고 합니다. 그리고 요즘에는 오히려 낮에 케이크 굽는 모습을 보여주면 손님들이 더 재미있어

할 거라며, 게다가 홈메이드 느낌을 더 살릴 수 있으니 좋지 않겠냐 하시더군요. 편하고 즐겁게 케이크를 구울 수 있는 시간을 한번 찾아보라고 격려까지 해주십니다. 그렇죠. 처음 마음은 그랬는데. 홈메이드 느낌의 소박하고 투박한 디저트. 그리고 행복한 마음으로 굽는 케이크.

한 달 동안은 매일 새벽마다 나와서 컵케이크를 구웠다면 이제는 케이크의 양과 종류를 조금 늘리고 메뉴를 조정해서 이틀에 한 번, 그러니까 일주일에 세 번 컵케이크를 굽기로 합니다. 케이크는 구운 지 1.5일이 지나야 가장 맛있다고 하니까요. 그런데 놀라운 일이 벌어집니다. 한국에 처음 생긴 컵케이크 집이라며 오픈하자마자 여러 잡지에서 취재를 해간 덕분에 예상보다 손님들이 많습니다. 이틀 동안 팔 분량으로 구워놓은 케이크가 당일에 모두 판매되는 이상한 상황이 발생합니다. 결국 다시 컵케이크를 매일 굽게 되는 원상태로 되돌아왔달까요.

그리하여 직원을 뽑기로 합니다. 한 사람은 케이크를 굽고 한 사람을 판매를 하면 되니 컵케이크 구울 시간을 따로 정하지 않고 가게 오픈 시간 내에 해결할 수 있어 이전보다는 훨씬 수월하겠죠. 스탠드믹서 돌리는 소리가 크게 들리긴 하지만 손님들이 그다지 신경을 쓰는 것 같아 보이지는 않습니다. 오히려 "여기서 직접 케이크를 굽나요?"라며 관심을 보입니다. 손님이 말을 걸어올 때엔 가게에서 사용하는 좋은 재료들을 소개할 수도 있고 컵케이크에 대해 더 자세히 이야기할 수 있으니 금상첨화입니다.

처음부터 다 잘할 수는 없지만 점점 더 잘할 수는 있겠지요.

기쁜 날도 슬픈 날도 있겠지만 그리고 칭찬하는 사람도 혼내는 사람도 있겠지만 또 웃는 날도 우는 날도 있을 테고 그렇게 수많은 날이 있겠지만, 거꾸로 생각해보면 여러 날 중 하루일 뿐입니다. 다른 사람보다 조금 늦더라도 괜찮습니다.

조금씩 천천히, 나도 그리고 우리 컵케이크 집도 커가고 있음이 분명하니까요.

디자인

평범한 면 티셔츠를 입고 한쪽 가슴에 커다란 꽃을 달고 다니곤 했습니다. 얼마나 코사지를 좋아했던지 한때는 생일선물로 각종 코사지만 받기도 했답니다. 그래서 우리 컵케이크에 나처럼 꽃을 달아주기로 합니다. 분홍색 꽃을 달고 있는 컵케이크는 꽤 로맨틱해 보입니다. 꽃을 달고 있는 컵케이크를 기본으로 별을 달고 있는 컵케이크, 안경을 쓴 컵케이크 등 다양한 캐릭터를 만들어보았답니다. 그리고 멋진 이름도 붙여주었지요.
그렇게 만든 일러스트를 컵케이크 상자나 테이크아웃 잔에도 얹고 티슈에도 장식해놓았습니다.

Life is just a cup of cake

Life is just a cup of cake

Life is
just a cup of cake

Life is
just a cup of cake

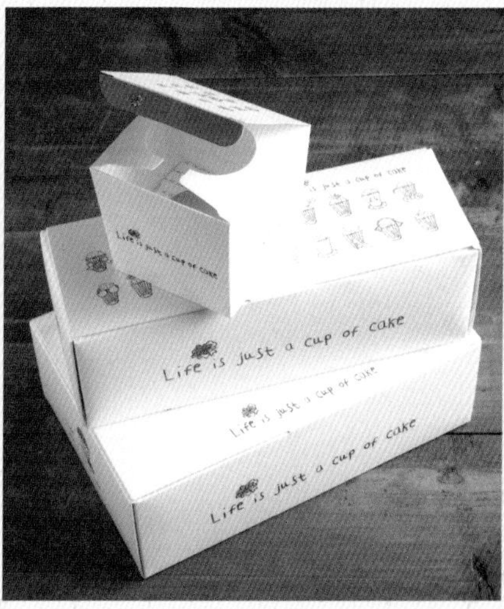
Life is just a cup of cake
Life is just a cup of cake
Life is just a cup of cake

Chapter 2.

베리, 상큼한 그 이름

말찻가루

녹차 케이크를 굽거나 녹차 크림을 만들 때 사용하면 색과 맛이 훨씬 풍부해져 베이킹을 하는 사람들 사이에서는 아주 귀한 재료로 여겨지는 것이 바로 일본산 말차抹茶. 말찻가루는 시루에서 쪄낸 찻잎을 그늘에서 말린 다음 맷돌로 미세하게 갈아 만든 차로, 물에 녹지 않는 비타민A, 토코페롤, 섬유질 등을 그대로 섭취할 수 있어 건강유지와 피로회복에 효과적이라고 합니다.

인터넷 베이킹 사이트에 가보면 일본에서 사온 대용량 말찻가루를 소량으로 나누어 포장해 판매하기도 합니다. 물론 아주 높은 가격으로요. 직접 일본에 가서 사오지 않는 이상 구하기 어려운 제품이라 비싼 가격에도 불구하고 더 좋은 맛의 녹차 케이크를 굽기 위해 구입하곤 하죠. 말찻가루에도 유통기한이 있어 시간이 지나면 지날수록 향이 나빠지고 맛도 떨어지는 것은 당연한 일. 그러나 대량구매 후 소량으로 포장해 판매되는 상품 중에는 가끔 유통기한이 지난 것도 포함되어 있어 비싼 돈을 주고 구입하더라도 그만큼의 가치를 얻지 못하는 경우도 더러 있습니다. 혹시 구입하게 되면 유통기한을 잘 확인해보세요.

말찻가루의 우수성과 희소성을 잘 알고 있던 터라 일본 신혼여행 길에 발견한 말찻가루를 보고 흥분하지 않을 수 없었죠. 사실 신혼여행을 일본으로 결정한 것은 가게 오픈 직전 마지막 준비 과정에 필요한 물품들을 구입하려는 이유도 있었으므로 특별히 시간을 내어 일본에서 가장 크고 유명하다는 갓파바시 제과 및 요리 용품 전문 시장에 들르긴 했지만 말찻가루 구입은 예정에 없었습니다. 그러나 막상 넓은 시장의 한 가게에서 말찻가루를 발견하니 심장이 두근거리고 '저걸 꼭 사가야겠다'라는 강한 의지가 불타오릅니다. 짐이 너무 많아 많이 사지는 못합니다. 그렇게 나와 함께 한국으로 돌아온 말찻가루 세 통.

역시 좋은 재료는 그 가치가 전해지는 법입니다. 녹차 케이크나 녹차 아이스크림 등 녹차가 들어간 디저트는 모든 사람들의 사랑을 받지는 못하지만 마니아층이 아주 두터운 편입니다. 녹차를 좋아하는 사람들은 잊지 않고 녹차를 이용한 디저트를 구입해서 녹차 특유의 쌉싸래한 맛을 즐기기 때문이죠. 사실 녹차 컵케이크가 컵케이크 메뉴 중에서 가장 많이 나가는 베스트셀러는 아니지만, 단 한 번도 메뉴에서 빠져본 적이 없을 정도로 꾸준히 사랑받고 있답니다. 음식은 기본적으로 좋은 재료를 써야 훌륭한 맛이 나는 것이라고 생각합니다. 녹차 케이크를 가장 예쁘고 맛있게 만들어주는 재료를 사용해서 구우니 칭찬받는 케이크가 탄생하는 건 당연한 일 아닐까요.

신혼여행 길에 일본에서 직접 사가지고 온 말찻가루로 구운 케이크라는 것을 알고 있는 몇몇 손님들이 물었습니다.

"말찻가루가 다 떨어지면 어떻게 할 생각이세요?"

"음, 그럼 가지러 가거나, 아니 그건 현실적으로 좀 어려울 것 같으니 아마 메뉴를 없애겠죠."

"어머, 그럼 곧 사라지겠네요! 더 많이 사먹어야겠어요."

그리고 얼마 후 우려하던 일이 벌어집니다. 세번째 말찻가루통이 바닥을 보이기 시작한 것입니다. 개인적으로 녹차 케이크를 좋아하지 않아 녹차 컵케이크에 대한 특별한 애정은 없었던 터라 재료가 떨어지는 것도 별 신경 쓰지 않고 있었는데, 저와 반대로 주위에서는 난리입니다. 컵케이크를 구매하는 주고객층이 이삼십대 여성들이고 그들의 주된 관심 중 하나가 다이어트여서 컵케이크를 고를 땐 일종의 두려움과 죄책감을 갖는다고 합니다. 그럴 때 녹차 컵케이크가 있으면 괜히 안심이 되고 위안을 받는다고 하네요. 맛도 좋은 데다 건강에도 좋고 예쁘기까지 한 녹차 컵케이크를 절대 포기할 수 없다며, 계속 녹차 컵케이크를 만날 수 있도록 다시 한번 생각해보라는 부탁을 받기까지 했다죠.

참 신기한 일입니다. 뭔가 필요할 때에는 꼭 그것을 채워줄 길이 생기는 걸 보면 말이죠. 일본산 말찻가루가 필요하던 바로 그 시점에 여동생이 일본으로 출장을 가게 된 것이지요. 동생의 일본인 친구 도모코에게 미리 전화로 부탁을 해두었습니다. 사용하던 말찻가루를 계속 쓰고 싶어 브랜드

명과 제품명 그리고 필요한 그램 수까지 세세하게 적어 보냈습니다. 그리고 출장을 다녀온 동생은 말찻가루 다섯 통과 정말 재미있는 이야기를 가지고 돌아왔습니다.

도모코의 어머니는 부탁받은 말찻가루 브랜드명을 보고 본사에 전화를 걸었다고 합니다. 그러고는 한국 컵케이크 집의 사정을 설명하고 말찻가루를 구매하고 싶다고 했습니다. 그러자 회사에서는 깜짝 놀라며 자신들의 제품은 소매로 판매하지 않는데, 그 한국인이 어떻게 구입했는지 물었다고 합니다. 그리고 이번에는 특별한 경우이니 말찻가루를 보내주겠다고 했답니다. 그래서 결국 오사카에 위치한 본사에서 도모코의 집이 있는 도쿄까지 말찻가루가 무사히 도착했다는 이야기. 오사카에서 도쿄로 그리고 도쿄에서 서울로, 그리고 내 품으로. 신혼여행 길에 일본에서 만난 그 말찻가루는 어쩜 내 운명이었는지도 모르겠네요.

그렇게 말찻가루 회사와 거래를 시작한 도모코 어머니는 그후에도 말찻가루가 떨어질 즈음이면 언제든지 그 가루를 구해서 보내주십니다. 그리고 한국에서 나는 신선한 말찻가루를 이용해 맛있는 녹차 컵케이크를 구워 냅니다.

오른쪽이 도모코, 왼쪽이 동생 솔이랍니다.

아리가토 고자이마스, 도모코 상!

스타벅스 손님

컵케이크 집은 이태원에 있습니다. 그리고 이태원은 한국에서 외국인을 가장 많이 볼 수 있는 동네죠. 주말에 이태원 거리를 걸으면 여기가 한국인지 외국의 어느 거리인지 헷갈릴 정도입니다. 그런 동네에 자리 잡은 덕분에 종종 외국인 손님들이 가게를 찾아오곤 하죠. 컵케이크는 한국에는 아직 제대로 소개되지 않은 낯선 디저트이지만 외국에서는 이미 큰 인기를 얻은 유명한 디저트여서 가게를 찾는 외국인들은 굉장히 반가워합니다.

그날 가게에 온 외국인 남녀도 그런 사람들 중 하나라고 생각했습니다. 약간 지적인 외모의 여자 외국인과 조금 나이가 있고 덩치가 큰 남자 외국인 그리고 한국 여자들 세 명. 외국인들은 보통 동행한 한국 사람에게 원하는 메뉴를 이야기하고 한국 사람들이 주문을 합니다. 그런데 이상하게 오늘은 외국인들이 직접 이야기를 건넵니다. 그것도 메뉴나 재료 전반에 대한 수준 높은 질문들을 말이죠.

"앵커 버터를 쓰는 이유는 뭐죠?"

"천연 버터잖아요. 원래 집에서 케이크를 구워먹을 때 앵커 버터가 가장 좋다고 해서 사용했거든요. 아무리 비싸도 가게에서 쓴다는 이유로 쓰지

않을 수는 없었어요."

"발로나 초콜릿을 쓰나봐요?"

"네. 제과용 초콜릿 중에 가장 좋은 제품이라고 들었어요. 저는 제과를 전공한 전문가가 아니기 때문에 뛰어난 기술이 없어요. 그래서 좋은 재료를 써서 그 재료들의 훌륭한 맛에 도움을 받으려고 해요."

"제과를 공부하지 않았다고요?"

"네, 그냥 집에서 구워먹었어요. 자라면서 죽."

"최근에 한국에서 컵케이크가 엄청난 인기를 끌고 있는데, 다른 컵케이크 집도 가보았나요?"

"맞아요. 스타벅스같이 큰 거대 체인점에서도 컵케이크를 팔더라고요. 지난 주말에 강남 백화점의 스타벅스에서 먹어보았는데 조금 실망했어요. 케이크가 너무 말라 있어서 퍽퍽했고 프로스팅도 굳은 상태였거든요. 큰 브랜드에서 맛있는 컵케이크를 만들었으면 좋겠어요. 그래야 한국 사람들이 컵케이크에 대한 좋은 인상을 가지게 될 테니까요."

그러고는 영어를 잘한다는 이야기부터 가게 인테리어에 대한 질문까지 한참이나 그들과 대화를 나누었습니다. 이번에는 내가 궁금해져서 질문을 던집니다.

"외국인 손님들이 많이 오긴 했는데, 한 번도 케이크나 재료에 대한 질문을 이렇게 많이 받아본 적이 없어요. 관련 분야에서 일하나봐요?"

"아, 우리가 먹는 것이 무엇으로 만들어졌는지 궁금해서요."

"당연히 그렇죠!"

그들은 컵케이크를 여섯 개나 포장해달라고 했습니다. 고마운 마음에 컵케이크 하나를 덤으로 드리기로 합니다. 그러자 드디어 자신들의 정체를 밝힙니다. 그들의 직장은 바로 스타벅스. 얼마 전 스타벅스에서 컵케이크 판매를 시작했는데, 이 가게가 맛있는 컵케이크를 굽는다고 해서 찾아와봤다고 합니다. 이렇게 작은 가게에 스타벅스가 벤치마킹을 하러 왔으니 자랑스럽게 생각해도 된다면서 말이죠. 그러고는 스타벅스 쿠폰을 두 장이나 선물로 줍니다. 이런. 기분이 좋으면서도 아까 스타벅스 컵케이크가 맛없다고 열심히 이야기했던 게 생각나 부끄럽기도 하고 미안하기도 합니다.

그렇지만 인정받는다는 건 정말 기분 좋은 일이에요. 어깨가 절로 으쓱하는 걸 보면 말이죠. 동시에 부담감도 몰려오네요. 한국에서 가장 맛있는 컵케이크를 굽고 싶습니다. 가장 유명하거나 가장 많이 팔리는 컵케이크 집은 아니더라도 좋아요. 가장 맛있기만 하다면!

그런데 말이죠. 그때 선물받은 스타벅스 상품권은 유효기간이 지나서 쓰지 못했답니다. 맛있는 컵케이크를 열심히 굽다보니 어느새 일 년이 지났더라고요.

음악

What would the world be like without music, beautiful music
Just think of what it means to you and me
What would the world be like without music
Try to imagine how empty our lives would be
There'll be no melodies to whistle while you work
There'll be no song to hum
There'll be no melodies to help you find the way you feel
You have to find another way

음악, 아름다운 음악이 없다면 세상은 어떨까요
음악이 우리에게 어떤 의미인지 한번 생각해보세요
음악이 없다면 세상은 어떨까요
우리 삶이 얼마나 허전해질지 한번 상상해보세요
일을 하면서 흥얼거릴 멜로디가 없는 거예요
허밍으로 따라 부를 노래도 없을 테지요
노래로 우리의 감정을 표현할 수도 없겠죠
노래가 아닌 다른 방법을 찾아야 할 거예요

태국에서 초등학교를 다닐 때 배웠던 노래입니다. 음악이 없는 삶이란, 노래 가사에도 나오지만 참 허전할 것 같습니다. 뭔가 인생의 큰 부분이 떨어져나간 것처럼 말이죠. 우리에게 음악이 있다는 사실이 새삼 고마운 순간입니다.

특히 카페에서 음악은 더욱 큰 의미를 가집니다. 음악이 없는 카페란 상상조차 할 수 없기 때문이죠. 컵케이크 집도 마찬가지입니다. 케이크를 구울 때도 음악을 들으면 더 기운이 넘칩니다. 비가 내려 손님이 없는 날에도 음악을 들으며 혼자 분위기를 잡고 있으면 어느새 매출 걱정은 사라지고 음악에 흠뻑 취하게 됩니다. 가끔 손님이 없을 때는 빅뱅 승리 군의 〈스트롱 베이비〉나 소녀시대의 〈Gee〉를 틀어놓고 혼자 큰 소리로 따라 부르는데, 금방 신이 나 엉덩이를 들썩거립니다.

듣고 싶은 음악을 하루 종일 내 마음대로 골라 들을 수 있다는 것은 정말 큰 행복입니다. 그리고 내가 선곡한 음악을 다른 사람들과 함께 들을 수 있다는 것은 보너스이고요. 가끔씩 손님들이 음악이 좋다는 칭찬 한마디를 건네줄 때면 케이크가 맛있다는 칭찬만큼이나 기분이 날아오를 듯 좋답니다. 컵케이크 집의 음악 선곡에는 특별한 기준이 없고 그냥 그때그때 다르달까요.

김동률 콘서트를 다녀온 후에는 김동률 스페셜로 이 주 내내 그의 음반만 하루 종일 틉니다. 오케스트라로 연주하는 웅장한 곡이 많아 하루 종일 듣다보면 정신이 몽롱해지기도 하지만요. 주로 듣는 음악은 홍대 인디 가수들의 노래입니다. 요조나 타루, 라이너스의 담요나 허민, 스웨터나 이지형, 특히 재주소년의 노래를 제일 많이 듣게 된답니다. 또 재즈 느낌의 곡도 많이 트는 편이고요. 가벼운 재즈 연주곡이나 쉽게 흥얼거릴 수 있을 정도로 친숙한 재즈 느낌의 외국 곡은 흥겨운 분위기를 자아내니까요. 그리고 절대 빼놓을 수 없는 장르는 바로 만화영화 주제곡. 특히 디즈니 영화의 주제곡들은 매일 한두 곡씩 꼭 들어야 합니다. 왠지 기분을 말랑말랑하게 해주거든요.

그럼 오늘의 선곡 리스트를 살짝 공개해볼까요.

01 **설레임** 그린티
02 **Les Champs Elysées** 클레망틴(Clementine)
03 **바야흐로 사랑의 계절** 이한철, 박새별
04 **꿈에선 놀아줘** 루싸이트 토끼
05 **Dream a Little Dream of Me** 프렌치 키스
06 **Les Copains D'abord** 나오미 & 고로(Naomi & Goro)
07 **마지막 춤은 나와 함께** 재주소년
08 **I Love Paris** 엘라 피츠제럴드(Ella Fitzgerald)
09 **오래된 연인에게 하고픈 말** 더 캔버스, 허민
10 **My Favorite Things** 〈사운드 오드 뮤직〉 OST
11 **March, April, May** 바우터 하멜(Wouter Hamel)
12 **앵콜요청금지** 브로콜리너마저
13 **소리벽** 이지형, 오지은
14 **Concentrate on You** 에디 히긴스 트리오(Eddie Higgins Trio)
15 **A Spoonful of Sugar** 〈메리포핀스〉 OST

삼천 원 이 달러

어딜 봐도 관광객스러운 미국 아주머니가 컵케이크 집에 방문했습니다. 한국을 찾는 외국인 관광객을 만나는 일은 항상 즐겁지만 그들은 좀처럼 가게 문을 열고 들어오지 않습니다. 그래서 그 미국 아주머니의 방문은 아주 신선했습니다. 아주머니는 들어오자마자 화장실을 급히 찾습니다. 화장실을 다녀온 아주머니는 그냥 나가기가 미안했는지 잠시 서성입니다.

"Do you have bottled water?"

병에 든 물을 찾으니 화장실 이용을 위해 방문한 것임이 더욱 확실해졌습니다.

"No, Sorry."

뭔가를 사지 않아도 된다고 말하려는 찰나에,

"I'll have iced cafe latte."

어렵게 주문을 한 아주머니에게 정성스레 라테를 만들어드렸습니다. 미국 아주머니는 꼭 끼는 청바지 주머니에서 꼬깃꼬깃한 천 원짜리를 몇 장 꺼냈습니다. 삼천원, 그리고 이 달러를 내밉니다.

"Sorry, I should have checked first."

괜찮습니다! 재밌잖아요. 삼천 원 이 달러의 라테.

화장실 사용을 위해 이태원 가게에 들르는 사람들 중 대부분은 외국인입니다. 외국인들이 한국에 관광을 오면 꼭 들르는 곳이 이태원인데, 그런 주요 관광지역인 이태원에서 공중화장실을 찾기란 쉬운 일이 아닙니다. 당장 급한데 한국말도 잘 모르고 화장실은 찾기 어려울 때 그들은 얼마나 당황스러울까요. 그런 외국인들을 만날 때 우리 화장실을 안내해주면 한편으로는 조금 부끄럽고 미안한 마음이 들기도 합니다.

컵케이크 집 화장실은 작지만 언제든지 열려 있답니다.

특별한 그녀들

지수는 우리 가게의 단골손님입니다. 작년에 고등학교를 졸업하고 올해 대학입시에 다시 한번 도전하는 멋진 학생이지요. 직접 쿠키를 굽는 것도 좋아하고 컵케이크 같은 달콤한 디저트를 먹으러 다니는 것도 즐깁니다. 새로 생긴 디저트 가게는 꼭 가본다고 하더군요. 그리고 그중 어떤 곳과는 특별한 인연으로 만나고 있는지도 모르겠어요. 우리와의 관계처럼요. 얼마나 많은 가게 주인들이 지수를 특별한 단골손님으로 생각하고 있는지는 그리 중요하지 않습니다. 중요한 건 그녀가 나의 특별한 손님이라는 점!

어느 늦은 밤에 지수가 보낸 문자가 한 통 도착했습니다. 정확히 기억은 나지 않지만 아마 가게나 컵케이크에 대한 질문이었던 것 같습니다. 문자를 받고는 너무 놀라 한참 동안 핸드폰을 들여다보았습니다. 내 번호를 어떻게 알았을까. 명함에 있는 핸드폰 번호로 한 것 같습니다. 그렇지만 이렇게 늦은 시간에 이런 질문을 문자로 보내다니, 정말 놀라웠습니다. 요즘 아이들은 정말 다르구나. 그렇게 그녀와 나의 인연이 시작됩니다.

이후로도 지수는 종종 뜬금없는 순간에 문자를 보냈고 난 그때마다 친절하게 답문을 보내곤 했습니다. 지수는 때때로 문자를 보내기도 하고 컵

케이크를 사러 가게에 들르기도 합니다. 어떤 날은 컵케이크만 사가기도 하고 어떤 날은 편지를 건네기도 합니다. 또 어느 아침에는 가게 문을 열었더니 어젯밤인지 오늘 아침인지 아무도 없을 때 가게 문 밑으로 살며시 편지를 넣어두기도 하고요. 수능시험이 끝나 여유가 생기자 직접 구운 쿠키를 선물하는 지수. 컵케이크에 꽂으라고 선물해준 귀여운 동물들이 달려 있는 나무꽂이는 또 얼마나 귀여운지!

야옹이 님 이야기도 빠지면 안 될 것 같습니다. 수줍은 모습으로 가게에 들어와서 조심스레 컵케이크를 주문하고는 작은 목소리로 "친구가 정말 맛있다고 해서 왔어요"라고 이야기합니다. 컵케이크를 건네고 몇 분쯤 흘렀을까, 컵케이크를 다 맛본 야옹이 님이 천천히 자리에서 일어나 계산을 합니다. 그러고는 영화잡지를 한 권 건네줍니다.

"컵케이크가 너무 맛있어요. 오늘 보려고 오전에 산 잡지인데, 가게에

두고 보세요."

영화를 사랑하고 공연을 공부하고 또 내가 좋아하는 재주소년을 좋아하는 야옹이 님은 어느 날 컵케이크를 다량으로 사가기도 하고, 또 어느 날은 친구들을 많이 데리고 와서 놀다 가기도 합니다. 하루는 꽤 이른 시간에 가게에 들러 컵케이크로 아침식사를 하고 가기도 하고요. 가끔 내가 힘들 때는 이야기를 들어주기도 하고 좋은 영화를 추천해주기도 합니다. 이제 얼마 후면 공부를 하러 다시 미국으로 돌아갈 그녀가 다시 한국에 들어올 때까지, 나는 이 자리에서 계속 맛있는 컵케이크를 굽고 있겠죠. 그때가 되면 우리 컵케이크 맛은 한층 더 좋아지겠죠!

한 해, 두 해 시간이 지날수록 특별한 손님들이 더 많이 생기겠지만 서툴고 어색했던 초기부터 나를 그리고 우리 컵케이크 집을 응원해주고 사랑해준 첫 손님들을 잊지 않기를, 그리고 그들을 대했던 나의 첫 마음 또한 바래지 않았으면 좋겠습니다.

미니 vs 슈퍼

일반 컵케이크의 4분의 1 크기인 미니 컵케이크와 5배 크기인 슈퍼 컵케이크. 한입에 쏙 들어가는 미니 컵케이크는 너무나 귀엽고 슈퍼 컵케이크는 엄청 든든하답니다.

Saem

해외 주문

아주 특별한 주문을 받았습니다.

사실 특별한 컵케이크를 주문하는 손님들이 종종 있습니다. 일반 컵케이크의 열 배 정도 되는 크기의 슈퍼 컵케이크를 주문하는 사람도 있고, 반대로 절반 크기의 미니 컵케이크를 주문하는 사람도 있습니다. 일반 컵케이크에 특별한 메시지를 적어달라고 부탁하는 사람들도 있고요.

그런데 이런 주문은 처음입니다. 연락이 중국에서 왔기 때문이죠. 중국이라니! 주문자는 중국에서 공부하고 있는 동생, 그리고 수신자는 한국에서 입덧으로 고생하고 있는 언니. 마음씨 예쁜 동생이 힘들어하는 언니에게 맛있는 컵케이크를 빨리 맛보이고 싶어 우리 컵케이크 집에 전화를 한 것입니다. 그전에도 컵케이크 배달 문의가 종종 들어왔었지만 배달 서비스를 제공하지 않아 대부분 도움을 드리지 못하고 있었는데 이번 경우는 달랐습니다. 단순한 컵케이크 주문이 아니라 컵케이크에 언니를 향한 동생의 사랑을 듬뿍 담아 주문하는 거니까요. 덕분에 우리도 컵케이크와 사랑을 함께 전달해줄 수 있는 거고요. 기꺼이 컵케이크를 배달해드리기로 합니다.

남편에게 차를 빌려 사촌동생과 함께 언니가 살고 있는 동네로 향합니다. 길은 좀 막히지만 마음은 가볍습니다. 컵케이크를 받고 기뻐할 그분을 생각하니 절로 신이 납니다.

딩동. 언니는 집에 없었고 두 자매의 아버지에게 컵케이크를 전달했습니다. 영문을 모르시는지 어리둥절한 표정으로 컵케이크를 받아 든 아버님을 뒤로하고 흡족한 마음에 컵케이크 집으로 돌아옵니다. 그리고 그날 저녁, 처음 보는 번호가 핸드폰에 떴습니다.

"안녕하세요. 오늘 컵케이크 선물받은 집입니다. 저는 아이들 엄마인데요, 정말 맛있는 컵케이크 감사합니다. 오셨을 때 직접 인사를 못 해 아쉬웠어요. 나중에 막내가 한국에 돌아오면 가게에 한번 놀러 가겠습니다. 고맙습니다."

'뿌듯하다' 라는 표현은 이럴 때 쓰나봐요. 마음이 따뜻해지면서 꽉 차는 느낌!

컵케이크 집을 연 첫날, 사랑하는 친구가 카드 한 장을 선물해주었습니다. 케이크가 예쁘게 그려져 있는 하얀 카드였습니다. 카드를 열자 가슴이 두근거리는 메시지가 한 줄 적혀 있었지요.

"Cake, like love, is best when shared."

나누면 나눌수록 커지는 사랑처럼, 나누면 나눌수록 더 맛있어지고 풍성해지는 케이크를 만들기로 했습니다. 그저 달콤하기만 한 케이크를 만드는 것이 아닙니다. 사랑이 그득 담긴, 서로의 마음을 나누는 그런 케이크를 만드는 것입니다. 그리고 오늘, 왠지 나 자신이 대견합니다. 그럭저럭 잘해나가고 있는 것 같아서 말이죠.

얼마 후.

방학을 맞아 한국으로 돌아온 그 동생은 이제는 꽤 배가 부른 언니와 친절한 어머니와 함께 가게를 찾았습니다. 중국에서 귀한 선물도 가져다주셨답니다. 중국차입니다. 고맙습니다! 우려낸 차의 향이 어쩐지 더 곱고 진하게 느껴졌답니다. 동생의 마음처럼 말이죠.

Life is just a cup of cake

내 생일

8월 7일이 내 생일입니다. 생일이 여름방학 중간에 딱 끼어 있는 데다가 주로 휴가를 많이 가는 시기여서 제대로 된 생일파티를 해본 기억이 없습니다. 초등학생 때는 친구들을 많이 초대해서 크게 파티를 열기도 하잖아요. 무척 부러웠던 모양입니다. 어른이 되어 다 큰 지금도 그런 파티를 마음속으로 꿈꾸고 있는 걸 보면 말이죠.

생일이 다가오자 무언가 기념이 될 만한 재미있는 일을 해보고 싶었습니다. 가게를 닫을 수는 없고 가게 안에서 할 수 있는 일을 궁리하기 시작합니다. 그래, 미니 컵케이크를 구워서 나누어먹자! 괜한 언니의 생일 로망 때문에 우리 컵케이크 가게 동생들이 고생입니다. 언니의 생일파티 상을 차리기 위해 백 개가 넘는 미니 컵케이크를 구워야 하기 때문이죠. 초콜릿 컵케이크, 딸기 컵케이크, 블루베리 컵케이크 이렇게 세 종류의 미니 컵케이크를 굽고 프로스팅을 다양하게 올리기로 합니다. 생일을 맞아 미니 컵케이크 나누어먹기 이벤트를 한다고 블로그에 글을 올리는 등 나름 홍보를 하긴 했습니다. 하지만 워낙 유명한 블로그가 아니라 이 글을 보고 얼마나 많은 사람들이 찾아올지는 잘 모르겠습니다.

드디어 8월 7일. 괜히 혼자 신이 납니다. 집에서 낑낑거리며 큰 테이블을 가지고 와서는 하얀 전지에 꾸깃꾸깃 주름을 잡아 식탁보를 만들어 씌웁니다. 노끈으로 테이블 주위를 감싸 빈티지 느낌을 내보려고요. 케이크 스탠드를 올려두고는 알록달록 귀여운 미니 컵케이크로 풍성하게 생일상을 차립니다. 제법 그럴듯하네요. 손님 맞을 준비가 끝났으니 이제는 기다릴 차례. 전혀 모르는 사람들에게 생일축하를 받는다는 건 무척이나 설레는 일입니다. 생일 축하의 말을 건네받고 맛있는 컵케이크를 선물하니 손님도 나도 행복한 기분에 마냥 들뜹니다.

컵케이크 집을 시작하고 나서는 일반 케이크를 먹을 기회가 거의 없습니다. 내 생일에도 가족들 생일에도 그리고 친구들 생일에도, 언제나 컵케이크로 생일 케이크를 대신하기 때문이죠. 우리는 커다란 지름의 동그란 케이크에 익숙해서 이것 없이는 왠지 생일파티가 2퍼센트 부족한 것 같은 느낌을 받지만, 사실 생일 케이크 대신 컵케이크를 쓰면 여러 가지 좋은 점이 많이 있습니다. 이를테면, 칼을 따로 준비해서 케이크를 자를 필요도 없고 케이크 조각을 담기 위해 그릇을 사용하지 않아도 되니 무척 간편합니다. 또 각자 원하는 색과 맛의 컵케이크를 골라 먹을 수 있는 재미 또한 빼놓을 수 없겠지요. 무엇보다 컵케이크를 생일상에 올려놓으면 상차림이 꽤 근사해집니다. 컵케이크는 커다란 케이크에 비해 데코레이션하기도 쉬우니, 미리 케이크만 구워두고 가족들이 모두 모여 직접 프로스팅을 바르고 토핑을 올려 만든 컵케이크로 생일파티를 한다면 굉장히 특별한 이벤트가 되지 않을까요?

숨쉬기

자유형을 처음 배울 때 얼굴을 물에 넣으면 속으로 '음' 하면서 숨을 참고, 오른쪽으로 얼굴을 돌려 내밀면서 '파' 하고 숨을 내쉬라고 합니다. 물속에서 숨을 참는 건 쉽게 할 수 있겠는데 오른쪽으로 고개를 돌려 내미는 동작이 너무 어려웠습니다. 살짝 고개를 돌려 숨을 쉬려고 하면 코와 입으로 물이 밀려들어와 결국 내쉬지 못하고 다시 물로 들어가기 일쑤였지요. 숨을 자꾸만 참게 되니 멀리 가지 못하고 그만 바닥에 발을 디뎌 설 수밖에 없었습니다.

한동안 '음—' 하고 있어 멀리 가지 못하고 힘들었는데 이제는 마음껏 '파—' 해봅니다. 파아아아아아아아아아아아아—

이제는 '음' 도 '파' 도 잘해야지.

이웃

컵케이크 집 이웃에 브라질 레스토랑이 문을 열었습니다. 브라질은 내가 머물렀던 멕시코와 전혀 다른 나라이지만 그래도 같은 중남미 국가여서 그런지 친근하게 느껴지고 무척 반갑더라고요. 좋은 이웃이 될 것 같아 기대가 됩니다. 날씨가 화창하던 어느 오후, 이웃 코파카바나 언니를 만나보았습니다.

한국에는 언제, 어떻게 오셨어요?

한국에 온 지 벌써 십일 년이나 되었네요. 남편(한국 사람)이 브라질에 잠시 머물렀을 때 처음 만났어요. 한 이 년 정도 연애를 했죠. 그는 동안이지만 실은 나와 열 살이나 차이가 나요. 그때 그가 서른 살이었는데, 한국에 계신 부모님이 결혼 문제로 그를 부르셨고 그때 처음 한국에 왔어요.

십일 년이나 한국에 살고 있는 걸 보면 결혼을 하셨나보군요?

그렇죠. 그의 부모님이 결혼을 해야 나를 가족과 친척들에게 소개할 수 있다고 하셨어요. 그때 스무 살의 어린 나이여서 결혼이 급하진 않았는데, 그의 부모님이 매우 친절하고 따뜻한 느낌이어서 결혼을 해야겠다고 마음을 먹었어요.

십일 년 동안 한국에서는 어떤 일을 하셨나요?

주로 유치원에서 아이들에게 영어를 가르쳤는데, 그외에도 다양한 일을 경험했어요. 브라질과 관련된 이벤트에는 빠진 적이 없죠. 브라질 대표팀이 한국에 와서 경기를 했을 때에도 그랬고, 서울시나 호텔 등에서 진행하는 행사에서 주로 브라질 요리를 담당했어요. 나만의 특별 레시피가 있는데 모두들 내 요리를 정말 좋아했죠. 브라질 식당을 열어보라고 했던 사람들도 적지 않았어요.

그래서 가게를 시작하신 건가요?

꼭 그 이유만은 아니에요. 사실 우리 엄마도 브라질에서 이십오 년 동안 레스토랑을 운영하셨어요. 그때만 해도 요리 쪽에 전혀 관심이 없어서 내가 미래에 요리를 하면서 살게 될 거라고는 꿈도 꾸지 않았어요. 한국에서 사는 시간이 길어지면서 뭔가 나만의 것을 해보고 싶어졌어요. 유치원에서 영어를 가르치는 일은 누구나 할 수 있지만 내 영혼을 담는 일을 하고 싶었지요. 요리를 하거나 옷을 만들거나 내가 고른 물건을 판매하거나 하는 일 같은. 그리고 우리 아이들에게 엄마가 일궈낸 무언가를 남겨주고 싶었어요. 내가 열심히 노력해서 만들어낸 나의 무언가를 우리 아이들이 이어서 하게 된다면 정말 멋진 일이잖아요. 내가 만든 요리를 모두들 맛있어 했기 때문에 브라질 식당을 하기로 마음먹었어요. 한국에 브라질 식당이 있긴 하지만 대부분 스테이크만 판매하거든요. 브라질엔 스테이크 말고도 다양한 요리가 있답니다.

지금 행복하세요?

네! 나는 매우 활동적인 사람이라 예전에는 정말 바쁘게 살았어요. 늘 일주일 스케줄이 꽉 차 있고, 약속도 무척 많았지요. 정말 사는 것처럼 살았죠. 그때도 아주 행복했어요. 반면 요즘은 한가해요. 물론 손님이 한 번에 몰릴 때는 예외지만. 보통은 가게에 앉아서 손님을 기다릴 수밖에 없으니 예전보다는 덜 능동적이라고 할까요. 그렇지만 내가 내 일을 그리고 나만이 할 수 있는 일을 하고 있다는 건 행복한 일이에요. 그리고 곧 아이도 태어난답니다. 앞으로도 좋은 일들이 많이 생길 것 같은 예감이 들어요.

결혼 십일 년 만에 첫 아이를 임신한 코파카바나 언니 역시 행복해 보였습니다. 내 것을 가지고 있다는 것 그리고 그것에 영혼을 담는다는 것, 정말 멋진 일입니다. 나도 이제부터는 사랑과 정성뿐만 아니라, 나의 영혼을 가득 담은 컵케이크를 구워야겠습니다.

고마워요. 오래오래 좋은 이웃으로 지내요!

광복절
광복절에는 모든 컵케이크에
직접 그려서 만든
작은 태극기를 꽂았습니다.

한여름

2009년 여름은 내 인생에서 가장 더운 여름으로 기억될 것 같습니다. 하루도 빼놓지 않고 오븐 앞에서 컵케이크를 구워냈기 때문이죠. 에어컨이 없는 것은 아니지만 컵케이크 진열대를 기준으로 부엌 안쪽은 전혀 다른 세상입니다. 냉장고에서 뿜어내는 열기, 커피 기계 보일러의 높은 온도, 얼음을 얼리는 제빙기에서 나오는 뜨거운 바람 그리고 180도를 유지하기 위해 탁탁 소리를 내며 열심히 작동되고 있는 오븐까지. 가만히 있어도 땀이 나는 무더위에 쉴 새 없이 움직여야 하니, 부엌 안쪽의 열기가 짐작이 되시죠?

우리가 더운 건 괜찮은데 문제는 재료들입니다. 제과에 쓰이는 재료들은 대부분 온도에 매우 민감하거든요. 여름이 깊어지면서 온도가 점점 높아지니 버터도 금세 흐물흐물해지고 밀가루나 설탕의 온도도 높아질 대로 높아져 구워낸 컵케이크의 상태나 모양이 예전과는 다릅니다. 재료에 안 좋은 영향이 끼치면 결과물에도 반드시 변화가 생깁니다. 너무나 정직하게 말이죠. 땀을 뻘뻘 흘려가며 구운 케이크가 너무 작게 나오거나 퍼져서 나오면 정말이지 온몸에 힘이 쭉 빠집니다. 오븐 장갑을 벗어던지고 엉엉

울어버리고 싶은 날도 있고요. 그렇다고 여름에는 컵케이크를 팔지 않겠다고 할 수 없으니 방법을 생각해내야 합니다. 여름을 이겨낼 방법!

우선 밀가루를 냉장고에 보관하기로 합니다. 버터는 케이크를 굽기 십 분 전에 꺼내놓습니다. 더운 여름에는 십 분만 미리 내놓아도 금세 실온 상태로 말랑말랑해지거든요. 우유도 그때그때 꺼내서 씁니다. 재료의 온도를 낮추는 것이 첫번째 포인트라면 두번째는 반죽을 만드는 공정 시간을 단축하는 것입니다. 이미 버터가 많이 녹아 있으니 크림으로 만드는 시간을 줄이고 설탕을 섞는 시간도 줄입니다. 예전에는 가루 재료와 우유 등 액체 재료를 세 번에 나누어 섞었다면 이제는 두 번에 나누어 섞습니다. 오븐 밖에 반죽을 오래 놔둘수록 컵케이크의 모양이 나빠지기 때문에 최대한 작업 공정을 빨리 끝내고 오븐에 넣는 것이 매우 중요합니다.

물론 규모가 큰 베이커리나 제조업체에서는 공장의 온도를 확 낮추거나 기계를 이용하는 방법 등을 통해 훨씬 간편하고 전문적으로 여름을 나겠지만, 우리는 작은 컵케이크 집이니 아날로그 스타일로 여름을 보냅니다. 아날로그 컵케이크군요.

음악 축제

런던 근교에 위치한, 지금은 이름이 기억나지 않는 어느 성에서 열린 콘서트에서 받았던 감동이 아직도 잊혀지지 않습니다. 끝이 보이지 않을 정도로 넓게 펼쳐진 잔디와 위풍당당한 성의 모습 그리고 그 안에 그림처럼 자리 잡고 있던 호수. 그곳에서 열린 클래식 콘서트는 그 자체만으로도 영화 속의 한 장면 같았습니다. 초여름 바람이 살랑살랑 불어오고 하늘은 푸르고 음악은 감미롭고. 그렇지만 무엇보다 콘서트가 더 즐거웠던 건 함께한 사람들 덕분이었죠.

우리는 보통 야외 공연을 보러 가거나 소풍을 가면 자그마한 돗자리와 김밥 그리고 과일 정도를 준비하곤 합니다. 그런데 그날 콘서트장에 피크닉을 나온 영국 사람들은 마치 자기 집의 응접실을 통째로 옮겨온 것 같았습니다. 굉장히 공들여서 골라온 듯한 테이블보를 덮은 멋진 앤티크 테이블 위에 형형색색의 그릇, 포크와 나이프가 가지런히 놓여 있습니다. 다양한 크기의 와인 잔도 준비되어 있었습니다. 멋진 꽃다발을 준비해 테이블을 꾸며놓은 집도 있고 초를 잔뜩 켜서 로맨틱한 분위기를 내는 집도 있습니다. 우리는 한국에서처럼 돗자리에 김밥과 과일만 준비했지만 영국인들 사이에 앉아 함께 음악을 들으며 보냈던 그날의 추억은 지금 돌아봐도 여전히 가슴이 뛰는 듯 생생합니다.

그래서 서울에서 열리는 그랜드 민트 페스티벌만큼은 꼭 참여하고 싶었습니다. 도시 속의 피크닉 같은 음악 축제. 올림픽공원 잔디 위에 펼쳐진다고 하니 영국에서 보냈던 그 꿈같은 날의 분위기를 내볼 수 있을 것 같습니다. 게다가 항상 마음속으로 만나고 싶었던 가수들의 공연을 한 자리에서 모두 볼 수 있다고 하니 더욱 의욕이 생기는군요. 그렇지만 도대체 어떻게 해야 참여할 수 있는 걸까요. 물론 티켓을 구입해서 공연을 보러 갈 수도 있지요. 그것 또한 의미 있는 일이지만 그보다는 조금 더 깊게 그리고 주체적으로 그랜드 민트 페스티벌에 참여하고 싶었습니다. 그래서 페스티벌 주최 측과 협의를 거친 후에 콘서트 기간 동안 현장에서 컵케이크 집을 운영하기로 했습니다. 와우. 컵케이크와 커피 그리고 음악. 심지어 가을 오후의 청명한 날씨까지.

컵케이크 집을 그대로 옮겨놓기로 합니다. 흔들의자도 가지고 가고 직접 만든 작은 콘솔도 데리고 갑니다. 가게 앞에 옹기종기 놓여 있던 화분들과 새장도 모두 챙겼습니다. 사흘이면 끝날 행사인데 컵케이크를 파는 집에서 왜 번잡스럽게 가구까지 옮겨오냐고 누군가 뭐라 할지도 모릅니다. 하지만 우리는 컵케이크만 팔러 그곳에 가는 게 아니거든요. 작은 부분이지만 민트 페스티벌의 분위기를 흥겹게 북돋는 데 도움을 주고 싶은 마음이었답니다. 멋진 하루를 위해 자신의 응접실을 통째로 들고 왔던 영국인들처럼 말이죠. 짐을 싣고 옮기는 과정이 어렵고 힘들었지만 즐겁고 행복했던 기억

을 많은 사람들에게 전해주고 싶단 마음으로 힘을 냈습니다.

민트 페스티벌 현장에서 공간을 꾸미느라 힘을 쓰고 있는 동안 컵케이크 집 직원들은 수백 개의 컵케이크를 굽느라 난리입니다. 우리는 매일 컵케이크를 굽고 있지만 한 번에 많은 양을 구워내진 않기 때문에 수량을 늘리는 작업이 쉽진 않습니다. 주방도 넓지 않고, 오븐도 작고 믹서도 두 개뿐이니까요. 그래도 야외에서 손님들을 만날 생각을 하니, 그리고 매일 스피커를 통해 듣는 가수들의 음악을 라이브로 들을 수 있다고 생각하니 그다지 피로하진 않더군요.

전날 자정까지 컵케이크를 굽고 집으로 돌아가 게시물들을 만듭니다. 그러고는 새벽 두 시에 잠이 들어 새벽 다섯 시 기상. 가게로 내려가 마무리 정리를 하고 다음날 판매할 컵케이크를 일부 굽고는 모두 현장으로 출발! 아무도 없는 올림픽공원에 도착하니 기분이 색다릅니다. 곧 텅 빈 이곳에 음악이 흐르겠죠. 그리고 음악으로 가득 차게 되면 절로 엉덩이를 들썩이며 춤을 추게 될 것만 같습니다. 생각만 해도 온몸이 짜릿짜릿. 세 시간밖에 잠을 자지 못했다는 사실은 잊은 지 오래입니다. 주차장과 행사장을 여러 번 오간 후에 드디어 올림픽공원에서 컵케이크 집이 문을 열었습니다.

역시 손님은 많지 않습니다. 공연장에는 아무래도 맥주 같은 술 종류나 떡볶이 같은 분식이 더 잘 어울리기 때문이겠죠. 정성껏 구운 케이크이지만 이곳에서는 외면을 받습니다. 그래도 이곳에서만큼은 외면받아도 상관없다고 생각될 만큼 모든 것이 만족스럽습니다. 사랑하는 컵케이크와 자연 그리고 음악이 모두 함께 어우러진 꿈같은 사흘이었으니까요. 샤방샤방 에너지 충전!

Life is just a cup of

꽃다발

살면서 꽃다발을 몇 번이나 받을 수 있을까요?

졸업이나 생일, 기념일 말고 특별한 이름이 없는 일상적인 날에 받는 꽃 선물은 몇 번이나 될까요. 친구나 연인이 '꽃이 너무 예쁜데 네가 생각나서 샀어' 하며 건네는 꽃 말고 전혀 모르는 사람에게서 꽃 선물을 받아본 적이 있나요? 마치 연예인이 된 것처럼 말이죠.

나는 있습니다, 한 번. 한 번이지만 백 번 같았던 한 번.

오후에 컵케이크 집을 비우는 경우가 흔치 않았던 2008년 가을의 어느 날, 재료 몇 가지가 떨어져 급히 방산시장에 다녀왔습니다. 양손에 버터와 초콜릿을 가득 들고 가게에 들어서니 한 시간 전만 해도 없었던 꽃다발이 눈에 가득 찹니다. 이게 뭐지…… 컵케이크 집을 비운 사이에 한 손님이 두고 갔다는 꽃다발. 우리 컵케이크를 좋아하는 팬이라고 전해달라며 꽃다발을 건네주고는 컵케이크도 두 박스나 구입해 갔다고 합니다. 누구지. 꽃다발을 전해 받은 직원이 그 손님의 모습을 열심히 설명해주지만 누군지 전혀 떠오르지 않습니다. 도저히 기억이 안 나 괴로울 지경. 카드 서명 내역을 찾아보니 그녀의 영어 이름은 '이브Eve'인 모양입니다. 예쁜 꽃다발을 선물해주고 간 이름도 예쁜 이브 님.

무척 궁금하고 또 고맙다는 인사도 해야 하는데 도대체 누구인지 알 수가 없어 답답해하다가 혹시나 하는 마음으로 블로그에 글을 올렸습니다. 누구세요? 그리고 얼마 후 이브 님이 보낸 쪽지가 도착했습니다. 너무 우울하던 날에 컵케이크를 먹고 힘을 냈다며 그래서 언젠가 꼭 꽃을 선물해주고 싶었다는 그녀. 그 꽃다발이 그리고 그 쪽지가 내게 얼마나 큰 격려와 힘이 되었는지 그녀는 알까요. 나는 컵케이크로 그녀에게 힘을 주었고 그녀는 예쁜 꽃다발로 내게 힘을 주었습니다. 그렇게 우리는 서로에게 힘이 되는 존재가 되었죠. 조금만 여유를 갖고 생각해보면 우리는 항상 누군가에게 어떤 형태로든 힘이 되는 멋진 사람들입니다.

Every man is an island.
And I stand by that.
But clearly, some men are part of island chains.
Below the surface of the ocean they are
actually connected.

모든 사람은 섬이다. 그리고 나는 그 사실을 믿는다.
그러나 분명한 건 어떤 사람들은
커다란 섬 덩어리의 한 부분이라는 것이다.
해수면 아래를 들여다보면 사실 모두 연결되어 있으니 말이다.

– 영화 〈어바웃 어 보이〉 중에서

전통

우리 가족은 매년 12월 31일이면 함께 모여 저녁식사를 하고 대화를 나누다가 교회로 가서 송구영신 예배를 드리며 한 해를 마무리하고 새해를 맞는 전통이 있습니다. 자라오면서 각자 다른 교회에서 예배를 드릴 때에도 언제나 그해의 마지막 예배는 함께 모여서 드리곤 했습니다. 이 전통에는 예외가 없어서 내가 독일에 있고 동생이 한국에, 부모님은 멕시코에 있을 때에도 모두 멕시코에 모여 함께 연말을 보냈습니다. 가족마다 겉으로 드러나든 드러나지 않든 한두 가지의 전통 같은 것이 있을 테지요. 이런 전통은 가족이 함께 모였을 때 웃으며 나누는 대화의 소재가 되기도 하고 시간이 지날수록 마음이 따뜻해지는 추억을 만들어주기도 합니다.

달콤한 컵케이크와 함께 전통을 만들어가는 한 가족이 있습니다. 호주에서 온 윌의 가족. 광고회사 지사장으로 한국에 발령을 받아온 아빠와 세계적인 카드회사의 아시아 지역 업무를 보고 있는 엄마, 그리고 두 명의 귀여운 아들. 한국에 먼저 들어와 있던 윌의 아빠를 만난 건 가게를 연 지 얼마 안 된 작년 6월. 늦은 저녁 시간에 가게에 들러 카페 라테를 한 잔 주문한 것이 인연의 시작이었죠. 홀로 한국에 들어와 외로운 시간을 보내고 있던 그는 영어로 대화가 되는 한국인 친구를 만난 것이 무척 반가웠던 모양입니다. 퇴근길에 가게에 종종 들러 카페 라테도 마시고 근황도 전해주곤 했습니다.

그러던 어느 날 눈부시게 예쁜 금발의 부인과 귀여운 아들 둘이 그와 함께 가게에 놀러 왔습니다. 기다리던 가족을 만난 아빠의 표정은 훨씬 밝아 보였습니다. 역시 가족의 힘이란 정말 대단하죠. 가족이 도착하자 환영파티를 시작으로 아빠의 생일, 엄마의 생일, 아이들을 봐주는 유모의 생일 그리고 아이들의 생일까지 파티 때마다 늘 우리 컵케이크를 사가지고 갔습니다. "이 컵케이크는 우리 가족의 새로운 전통이 되었어요. 파티에 컵케이크가 없으면 뭔가 허전하다고 할까요."

내가 만든 컵케이크가 한 가족의 소중하고 즐거운 날에 언제나 함께한다고 생각하니 괜히 으쓱합니다. 매일 유치원 버스에서 내려 집으로 갈 때면 우리 가게 앞에서 바닐라 컵케이크를 사달라고 조르는 큰아들 윌은 가족의 생일이 다가오면 좋아하는 바닐라 컵케이크를 먹을 수 있다는 생각에 그날이 더욱 기다려지겠죠. 그런데 아쉬운 소식이 있습니다. 아빠의 광고회사가 한국 지사를 철수하면서 가족 모두 한국을 떠나게 되었거든요. 이제 싱가포르에서 새로운 삶을 시작할 윌의 가족들이 한국을 생각할 때 떠오르는 여러 가지 기억 중 하나가 꼭 우리 컵케이크라면 좋겠습니다. 짧지만 달콤했던 그들 가족의 전통이었으니까요. 엄마 제시카는 지금 임신 중인데 아빠의 바람대로 한국에서의 가장 큰 선물이 될 예쁜 딸이 태어나길 바랍니다. 늘 행복하세요!

Life is
just a cup of cake
www.cupcake.co.kr

카페 vs 공장

나는 운이 아주 좋은 편입니다. 컵케이크를 좋아하긴 했지만 컵케이크로 유명하다는 미국 '매그놀리아'의 컵케이크는 먹어본 적이 없습니다. 컵케이크 유행을 선도한 미국 드라마 〈섹스 앤 더 시티〉는 한 에피소드도 본 적이 없습니다. 사실 컵케이크가 미국에서 인기 있는 디저트라는 것도 잘 몰랐습니다. 그냥 회사를 그만두고 싶었고 예쁘고 귀여운 나만의 무언가를 하고 싶었을 뿐이지요. 귀여우면서도 소박한 디저트인 컵케이크는 전문 베이커도 아니고 카페를 운영해본 경험도 전혀 없는 내게 가장 쉬운 선택 중 하나였습니다. 크기가 작은 케이크이니 실패의 부담도 적고 원하는 재료도 듬뿍듬뿍 쓸 수 있어 더할 나위 없이 좋았죠. 혹 재고가 쌓이더라도 주변에 하나씩 선물할 수 있으니 걱정 없습니다. 그렇게 우연히 시작하게 된 컵케이크 집은 마침내 삶에 미리 계획되어 있던 운명처럼 마법 같은 일들을 불러왔습니다.

컵케이크만 전문으로 파는 집으로는 처음 문을 연 가게이다보니 이태원 구석에 위치한 작은 가게임에도 불구하고 가게를 열기 전부터 취재 문의가 이어졌습니다. 유럽의 가정집 같은 편안한 인테리어와 한국에서는 보

기 힘든 컵케이크라는 디저트를 취재하려는 기자들이 많아지면서 컵케이크 집은 짧은 시간 안에 여러 잡지에 사진과 이름을 올리게 됩니다. 맛집을 찾아다니며 블로그에 감상 글을 올리는 파워 블로거들의 포스트를 보고 찾아오는 사람들도 점점 늘어났습니다.

마케팅을 전문으로 하는 회사에 다녔고 남편은 아직도 다니고 있고 주변 친구들도 거의 같은 분야에 종사하고 있지만, 컵케이크 집을 운영하면서 적극적이고 능동적인 홍보활동을 하진 못했습니다. 컵케이크를 팔아 돈을 많이 벌어야겠다는 꿈을 가지고 시작했다면 더욱 열성적으로 마케팅에 매진했겠지만, 컵케이크 집을 시작할 당시에는 조용한 나만의 삶을 꿈꾸고 있었기 때문에 큰 필요를 느끼지 못했던 것 같아요. 그런데 자연스럽게 홍보활동이 이루어집니다. 너무나 고맙게도 말이죠.

2008년 여름에 컵케이크에 쏟아진 관심과 인기는 꽤 선풍적이어서 유행에 민감한 백화점 델리에서도 컵케이크 가게를 입점하려는 움직임을 보였습니다. 우리 컵케이크 집이 무척 감사하게도 입점 제안을 받았습니다. 당시만 해도 반년도 되지 않은 작은 가게가 이런 제안을 받는 것은 매우 이례적인 일이라고 하더군요. 사실 조금 마음이 흔들렸습니다. 처음에는 작고 귀여운 나만의 공간에서 맛있고 달콤한 컵케이크를 구워 사랑하는 사람들과 나누어먹으면서 살고 싶다는 소박한 꿈이었지만, 가게를 운영해 나가면서 조금씩 욕심이 생겼던 것도 사실이니까요. 게다가 유명 백화점의 델리이니 우리 가게를 더 많이 알리는 데에도 도움이 될 것이고 당연히 수입도 좋아질 테니 이런 게 바로 일석이조겠죠.

그렇게 백화점 입점을 향한 준비가 시작되었습니다. 백화점에서 컵케이크를 팔기 위해서는 두 가지 옵션 중 하나를 선택해야 했습니다. 현장에서 컵케이크를 굽고 프로스팅을 만들어 올리는 즉석 제조 방식, 아니면 외부에 컵케이크 공장을 세우고 제조업체로 등록을 한 후 그곳에서 컵케이크를 만들어 백화점으로 매일 배달하는 방식. 백화점 측에서는 아무래도 모든 제작 과정이 외부에서 이루어지는 두번째 방식을 선호했고, 그렇다면 나에게는 선택의 여지가 없는 것이나 마찬가지입니다. 정성을 가득 담아 만들겠노라 결심했던 소박한 나의 컵케이크를 공장에서 만들다니! 정말로 싫었습니다. 입점을 향한 매우 복잡한 과정의 문 앞에서 아주 쉽게 결정을 내립니다. 이후에도 같은 백화점에서 그리고 또 다른 백화점에서도 입점 제의가 들어왔지만 정중히 거절했습니다.

이 선택으로 인해 우리 컵케이크 집을 더 많이 알릴 수 없더라도 컵케이크 하나하나에 정성과 손길을 가득 담고 싶습니다. 정말 감사하게도 어렵지 않게 유명해지고 사랑을 받았지만 그만큼 첫 마음과 기본에 충실해야 한다고 믿습니다. 물론 하고 싶은 일이 많아 돈을 빨리 많이 번다면 그만

큼 빨리 이것저것 해볼 수 있는 여유를 얻겠지만 꼭 빨리 하는 게 좋은 건 아니니까요.

지금 주어진 상황 속에서 기쁨을 찾고 행복을 느끼려고 합니다. 컵케이크 공장이 아닌 컵케이크 집으로 만들겠습니다. 언제 놀러 와도 달콤한 컵케이크 굽는 냄새가 가득한, 소박하고 따뜻한 공간으로요.

스타 이벤트

컬러의 조합이 훌륭한
조인성 씨의 컵케이크

청바지에 하얀 티셔츠만 걸쳐도 멋있는 조인성 씨 이야기를 하기 전에 우리 컵케이크 집의 '홍보녀' 이야기를 먼저 할까 합니다. Life is just a cup of cake의 공식적이자 비공식적인 홍보 담당은 바로 내 동생입니다. 신문사에서 기자로 일하고 있는 동생은 보이지 않는 곳에서 우리 컵케이크 집의 발전을 위해 힘쓰고 있는 숨은 일꾼입니다. 적극적인 홍보는 물론이고 급한 일이 생겨 가게를 비우게 되면 언제든 달려와 언니를 도와주는 착한 동생이거든요.

처음에는 모든 게 불안정했던 컵케이크 집이지만 시간이 지나 겨울이 되면서 점점 안정을 찾게 되었습니다. 오랜만에 찾아온 평화가 반가웠지만 반면 단조로운 일상이 지루해지는 것도 사실이었죠. 생각해보니 마지막 이벤트가 10월에 그랜드 민트 페스티벌에 다녀온 것이라 한동안 잠잠했던 것 같습니다. 그래서 홍보 담당인 동생을 비롯한 컵케이크 가족들을 한자리에 모았습니다. "우리 뭔가 재미있는 일을 해보자!" "이번에는 재미도 있으면서 가게 홍보에도 도움이 될 만한 이벤트를 하는 거야!" 그렇게 아이디어를 모아 생각해낸 프로젝트가 바로 스타가 직접 디자인한 컵케이크. 컵케이크 베이스에 프로스팅을 얇게 올려서 준비하면, 스타들이 현장에서 직접 스프링클 같은 다양한 토핑을 이용해 꾸민 컵케이크를 팬들에게 선물하는 행사입니다.

스타와 컵케이크의 만남이라 일단 재미있어 보이고 또 대중의 관심을 끌 수도 있겠지만 뭔가 현실성이 떨어진 듯합니다. 컵케이크 집 식구 중 그 누구도 연예인과 친분 있는 사람이 없으니 말이죠. 이때 컵케이크 집

홍보 담당자의 힘이 발휘되었습니다. "내가 우리 신문사에 건의해보겠어!" 포커스신문과 함께하는 컵케이크 이벤트는 이렇게 시작됩니다. 포커스신문에서 향후 이 주 동안 인터뷰가 잡혀 있는 연예인들의 리스트를 받은 뒤 인터뷰 시간에 맞춰 컵케이크와 데코레이션 용품을 가지고 출동하기로 합니다. 회사 다닐 때야 여러 번 출장을 다녀봤지만 컵케이크 집에서 컵케이크를 들고 출장 나가는 건 이번이 처음이라 기대도 되고 연예인을 만난다는 사실에 설레기도 했습니다. 연예인은 까다로울 것이란 선입관이 있어 혹시나 그들이 협조해주지 않으면 어쩌나 하는 걱정도 들었답니다.

첫 스타는 영화배우 박진희 씨. 섬세한 감성을 지닌 여배우라 역시 컵케이크를 디자인하는 감각도 뛰어나더군요. 영화 홍보를 위해 릴레이 인터뷰를 하는 중 잠시 짬을 낸 것이라 무척 피곤했을 텐데도 발랄하고 친절하게 대해주어 우리도 긴장을 풀고 자연스럽게 즐길 수 있었습니다.

두번째는 당시 〈개그콘서트〉에서 "난, 했을 뿐이고"라는 유행어로 인기를 끌고 있던 개그맨 안상태 씨. 그를 만나러 가기 전에는 특별히 슈가페이스트로 〈개그콘서트〉에서 항상 들고 나오는 마이크를 만들었습니다. 방송국 근처에서 인터뷰가 진행되었는데 마땅한 장소를 찾지 못해 복잡한 커피전문점에 자리를 잡았습니다. 사람도 워낙 많고 시끄러운 공간이라 집중하기가 쉽지 않았을 텐데 안상태 씨는 특유의 유머감각으로 산만하면서도 위트가 넘치는 컵케이크 디자인을 선보였답니다.

섬세한 감수성이 느껴지는
박진희 씨의 컵케이크

안상태 씨의
위트 넘치는 컵케이크

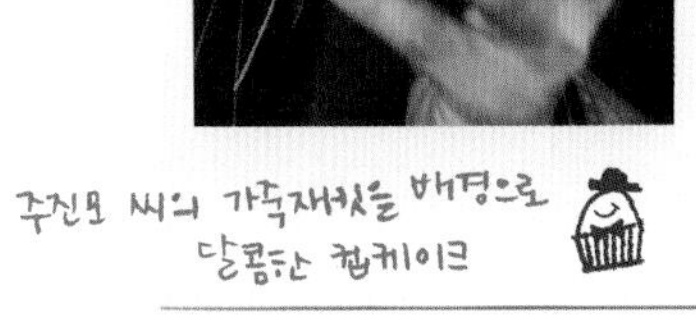

주진모 씨의 가족재킷을 배경으로
달콤한 컵케이크

부드러운 남자 이선균 씨의
심플한 컵케이크

세번째는 영화배우 조인성 씨와 주진모 씨. 고백하자면 인터뷰 대상 연예인 리스트를 받고 가장 기다리던 시간이었습니다. 힘든 영화촬영을 막 끝낸 터라 두 배우 모두 지친 모습이 매우 역력했지만 팬들을 위한 컵케이크 디자인에는 특별히 열의를 보여주었습니다. 조인성 씨의 컵케이크는 특히 컬러의 조합이 매우 훌륭해 모두 깜짝 놀라기도 했죠.

마지막으로 부드러운 이미지의 배우 이선균 씨를 만났습니다. 그는 생각보다 남성적인 배우더군요. 컵케이크 디자인을 할 때에도 알록달록 화려하게 장식하기보다는 스프링클을 이용해 심플한 디자인의 컵케이크를 만들어주었습니다.

연예인들의 인터뷰 현장을 찾아다니면서 보낸 그해 겨울은 왠지 추위도 날아가버린 느낌이었죠. 그들이 디자인한 컵케이크들을 모아놓으니 마음이 든든하기까지 합니다. 이제는 이 컵케이크를 맛보고 싶어하는 팬들의 사연을 받고 그들을 초대하는 일만 남았습니다. 그러다보면 어느새 봄이 되어 있겠죠.

이번엔 스타들이 디자인하는 컵케이크였지만 언젠가는 컵케이크를 사랑하는 '컵케이커'들과 함께 모여 기발하고 재미있는 컵케이크를 만들어보고 싶습니다. 자꾸 꿈을 꾸고 새로운 일을 만들다보면 어느새 세상이 조금 더 밝고 재미나게 변해 있지 않을까요?

라티나처럼

가끔은 라티나가 되고 싶어요.

열한 시쯤 일어나서 에스프레소 한 잔 마시고 두어 시간쯤 수다를 떨다가 조금 일을 한 후, 세 시쯤에 점심을 먹고, 네 시부터 두 시간가량 낮잠을 즐기는 겁니다. 그러고는 다시 에스프레소를 한 잔 마시고 일을 좀더 한 다음 늦은 아홉 시부터는 큰 소리로 노래도 부르고 흥겹게 춤을 추는 거죠. 한 손에는 상그리아를 한 손에는 모히토를 들고.

하지만 나는 한국 사람이고 한국에서 컵케이크를 굽는 사람이니, 당분간은 한 손에는 컵케이크를 그리고 다른 한 손에는 스패튤러를 들고 케이크 위에 프로스팅을 올리며 먹으면 먹을수록 더 달콤해지는 컵케이크를 만들려고 합니다.

Chapter 3.

초콜릿, 달콤함과 씁쓸함의 경계

부암동 로망

너무 좋아서 숨겨두고 싶은 동네가 있답니다. 그 동네에는 다른 곳보다 더 느리게 가는 시계가 있는 것처럼 시간이 천천히 흘러갑니다. 오래된 영화나 드라마의 한 장면에 들어와 있는 것 같은 기분이 들기도 해요. 하루 일과를 마치고 집에 돌아온 듯한 편안함이 가득한 공간입니다. 너무 좋아서 정말 나만 알고 싶었는데 이제는 널리 알려진 그곳. 바로 부암동입니다.

처음 부암동에 갔을 때의 일이 가끔 생각납니다. 세종문화회관 앞에서 택시를 타고 자하문 터널을 통과해 부암동으로 들어섰을 때 마치 봄날 벚꽃이 휘날리는 길을 거니는 듯한, 뭐랄까 낭만적인 기분이었죠. 그날의 풍경이 아직도 생생하네요. 한가로운 동사무소, 하루 종일 손님 하나 없을 것 같은 사진관과 슈퍼마켓. 아직도 이런 가게가 있나 싶을 정도로 낡고 오래된 철물점. 떡 방앗간, 우유 배급소, 좁다란 동네 분식집. 그리고 작은 동네를 감싸고 있는 낮은 산등성이와 손에 잡힐 듯한 파란 하늘까지. 왜 이제야 나를 이곳에 불러주었냐며 따지고 싶을 정도로 아름다웠습니다.

부암동 구석구석에는 저마다 개성 있는 주인들이 꾸민 다양한 가게들이 있습니다. 가게 주인들 대부분 부암동의 특별한 매력에 흠뻑 빠져 이곳에

둥지를 튼 사람들이죠. 이들은 오래전부터 여기에 자리 잡았던 것처럼 부암동과 잘 어울리는 자신만의 공간을 만들어냈습니다. 그들과의 만남은 항상 즐겁습니다. 그 만남이 쉽진 않지만요. 왜냐면 그 공간은 그리고 그들은 항상 그곳에 있지만 한편으로는 있지만은 않거든요. 무슨 소리냐고요? 주인이 항상 가게를 지키고 있는 게 아니거든요.

손님이 가게 앞에서 주인에게 전화를 걸어 가게 문 좀 열어달라고 부탁하기 일쑤입니다. 그러면 주인이 문을 열어주고 커피를 한 잔 만들어준 다음 잠시 장을 보고 올 테니 재미있게 놀고 있으라는 말을 남긴 채 자리를 비웁니다. 무언가에 얽매이지 않고 자유롭게 살기를 원하는 사람들이 만들어가는 가게. 주인이 식사를 하러 간 사이 닫힌 가게 앞에서 여유롭게 주인을 기다리는 손님과 따뜻한 마음으로 기다려준 손님을 위해 맛있는 쿠키를 구워주는 주인이 있는, 서로에 대한 배려가 가득한 그런 공간. 내 마음속 로망 같은 곳.

우리 컵케이크 집은 비록 부암동에 자리 잡지는 않았지만 그곳의 느긋함과 한가로움을 그대로 가져오고 싶었답니다. 케이크 굽기 싫은 날은 커피만 팔고, 날이 너무 좋아 밖으로 나가고 싶은 날에는 가게 문을 닫고 산책을 나갈 수 있는 여유로운 카페 주인의 삶. 그 로망을 이룰 공간이 생겼다는 생각에 무척 들떴습니다. 그런데 말이죠. 로망은 로망일 수밖에 없는 모양입니다. 로망이 깨지는 소리는 아끼는 컵이 깨지는 소리보다 더 마음을 울리더군요.

혼자 컵케이크 집을 운영하던 초기에는 식사를 거르기 일쑤였습니다.

자리를 비울 수도 없는 데다가 커피와 케이크를 파는 카페에서 음식 냄새를 풍기며 식사를 하는 것 또한 무척 민망한 일이어서 말이죠. 은근히 손가는 일이 많아 이것저것 하다보면 금방 오후가 되고 저녁이 되니 식사 시간을 제대로 챙길 수가 없습니다. 그날도 아침과 점심을 걸렀는데 금세 저녁 시간이 되었습니다. 손님은 없고 배가 고프던 차에 마침 친구가 퇴근길에 들렀기에 잠시 가게 문을 닫고 간단히 저녁을 먹기로 합니다. 혹시 손님이 올지 몰라 가게 앞에 작은 쪽지를 써서 붙여둔 채로요.

전화가 왔을까요? 네. 식사가 막 나오던 참에 전화가 옵니다. 가게 앞인데 커피를 마시고 싶으니 빨리 오라는. 물론 손님이니 반갑고 고맙지만 저녁식사 시간 이십 분도 허락되지 않는 컵케이크 집 주인의 마음은 어쩐지 허전합니다. 친구에게 양해를 구하고 가게로 향하는 발걸음은 무겁지만, 기다리는 손님 걱정에 점점 빨라지는군요.

"많이 기다리셨죠? 죄송합니다!"

그리하여 부암동은 여전히 나의 로망입니다.

녹차야 제발

"으앙."

"또야?"

"응. 또 녹차 빈대떡이 돼버렸어. 도대체 이유가 뭐지?"

"한두 번도 아니고 자꾸만 망하니까 정말 속상해."

골칫덩어리 녹차 컵케이크. 매일 똑같은 레시피를 이용해 똑같은 재료로 굽는데도 하루하루 색다른 모습을 보입니다. 어느 날은 입자가 굵은 갈색 케이크가 되고, 또 어느 날은 고풍스러운 초록빛이지만 제대로 부풀어 오르지 않아 너무 작은 사이즈로 나오고, 또 잘 구워졌다 싶은 날은 식히는 과정에서 케이크가 너무 많이 쪼그라드네요. 급기야 반죽이 컵케이크 틀 위로 넘쳐 열두 개의 케이크가 거대한 녹차 빈대떡 케이크가 되기도 합니다. 도대체 이유가 뭘까요?

레시피에 문제가 있는 것이 분명합니다. 같은 레시피로 모양도 훌륭하고 맛도 좋은 녹차 컵케이크를 굽는 데 성공한 적도 있긴 하지만, 이곳은 컵케이크를 파는 가게인데 컵케이크 모양이 매일 들쭉날쭉하는 것은 곤란

하잖아요. 아무리 홈메이드 스타일이라고 해도 이렇게 케이크 모양이 심하게 차이 나는 것은 문제가 있다는 생각에 레시피를 다시 연구해보기로 합니다.

초기에는 미국 스타일의 바닐라 컵케이크 레시피에서 바닐라 원액과 바닐라 빈을 빼고 대신 녹차가루를 10그램 정도 넣는 방법으로 녹차 컵케이크를 구웠는데, 워낙 설탕과 밀가루가 많이 들어가다보니 모양 내기는 쉬웠지만 심하게 달고 퍽퍽해서 얼마 못 가 퇴출 대상이 되었습니다.

두번째로 선택한 것은 일본 베이킹 책에서 어렵게 번역한 일본 말차 컵케이크 레시피. 아무래도 우리 집은 일본에서 공수한 말찻가루를 사용하

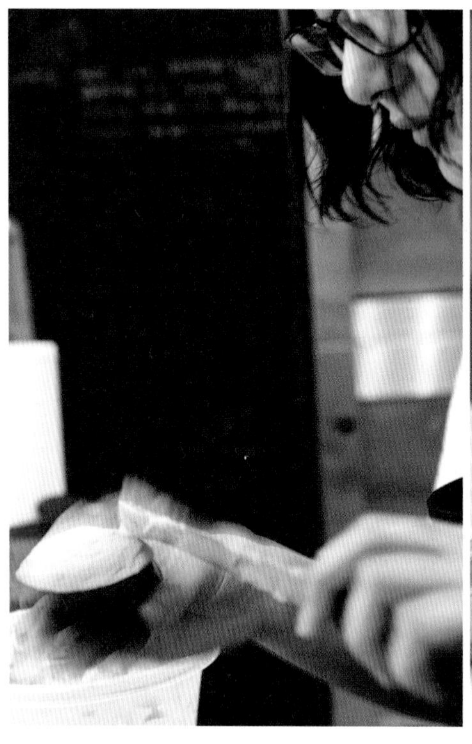

니 일본의 말차 케이크 레시피에 따라 구우면 더욱 진하고 깊은 맛을 낼 수 있지 않을까 하는 생각에서 구한 것입니다. 그런데 이 레시피가 자꾸 말썽을 피우네요. 혹 번역을 잘못한 것이 아닌가 싶어 일어 잘하는 친구를 섭외해 해석을 부탁했지만 레시피에는 문제가 없습니다. 그렇다면 도대체 왜 그럴까요?

정말 난감한 상황입니다. 베이킹을 전문적으로 배운 적이 없어 과학적인 해결방법을 찾아내는 데 어려움이 있습니다. 타고난 실험정신을 동원해 재료의 양을 조금씩 조절해가면서 최적의 컵케이크 레시피를 찾기 위해 노력했지만, 시간도 오래 걸리고 버리게 되는 재료도 많은 것이 사실이죠. 나만의 컵케이크를 만들어내는 것은 짜릿한 일이지만 그 과정에서 흘리는 땀과 떨리는 마음은 결코 짜릿하지만은 않습니다.

내 마음 같지 않게 자꾸 망하는 녹차 컵케이크야, 제발!

단화

회사에 다닐 땐 굽이 높은 구두를 자주 신었습니다. 다리도 길어 보이고 가끔 늘씬한 모델이 된 것 같은 기분이 들잖아요. 그런데 높은 굽 구두를 오래 신으면 발가락이 아프고 다리에도 무리가 옵니다. 그냥 신고 있어도 힘든데 하루 종일 서서 일까지 한다고 생각하면 정말 끔찍합니다. 그래서 자연스럽게 높은 구두에서 내려오게 되었습니다.

컵케이크 집 일은 회사 일보다 훨씬 고됩니다. 회사를 나오기 전 언제나 의자에 앉아서 하는 일에만 익숙하다보니 서서 몸을 움직이며 하는 일은 새로운 경험이었습니다. 처음 일주일 동안은 저녁만 되면 케이크 반죽을 도맡아 하는 오른손이 어찌나 후들거리던지요. 손님이 없어도 컵케이크 집의 일은 끝이 없습니다. 케이크 반죽을 오븐에 넣고 설거지를 끝낸 후 잠시 앉아 쉴까 하면 컵케이크 꺼낼 시간이 되었다며 타이머가 울려댑니다. 컵케이크를 오븐에서 꺼내면 바로 두번째 컵케이크 반죽을 시작합니다. 그 와중에 손님을 맞고 커피를 만들고 서빙을 합니다. 손님이 일어나면 계산도 해야 하고 테이블을 치운 뒤 설거지를 합니다. 그 사이사이 컵케이크 위에 크림을 바르는 작업도 이루어집니다.

다리가 퉁퉁 붓는 것은 일상이고 하루 종일 오븐을 켜놓다보니 부엌 쪽의 공기가 건조해져서 얼굴 피부도 갈라지고 덕분에 한동안 잠잠하던 여드름도 다시 신호를 보내옵니다. 고무장갑을 끼는 것이 번거로워 맨손으로 설거지를 했더니 어김없이 주부습진에 걸렸습니다. 손가락이 갈라지고 피가 날 정도로요. 얼굴 예쁘다는 소리는 못 들었어도 손 예쁘다는 소리는 곧잘 듣곤 했는데 이제는 그런 이야기도 쏙 들어가게 생겼네요. 그중에서도 화장실 청소가 가장 힘들었습니다. 카페 일이 육체적으로 얼마나 힘든지를 이야기하려면 밤을 새도 모자랄 것 같아 이쯤 하고 넘어가야겠어요. 중요한 건 단화가 없었다면 이 많은 일들을 해내지 못했을 거라는 사실입니다.

화려하고 멋진 높은 굽 구두를 신은 친구들을 만나면 나는 그들보다 한 뼘쯤 키가 작아 보입니다. 가끔은 그런 구두가 탐이 날 때도 있지만 당분간은 업무용 신발인 단화에 만족하려고요. 하루 종일 서서 컵케이크를 굽는 내게 단화만큼 잘 어울리는 신발은 없거든요.

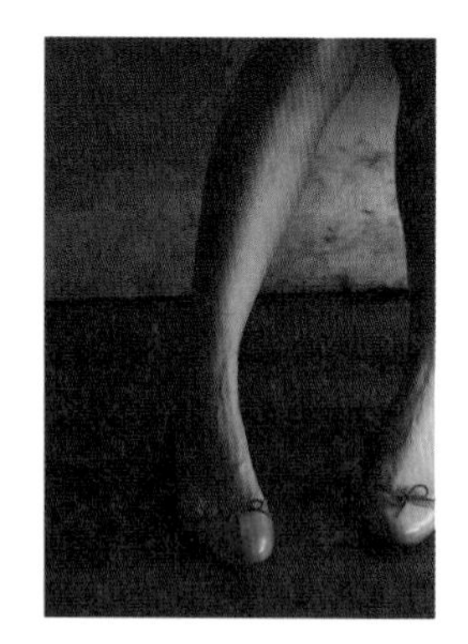

점심시간

당신의 점심 시간은 몇 시인가요? 학교 다닐 때는 한 시쯤에 점심을 먹었던 것 같고 회사에서는 열두 시 정각이 되면 점심을 먹으러 사무실을 나섰습니다. 그러니 보통은 열두 시에서 한 시 사이가 점심 시간이라고 볼 수 있겠네요. 그런데 컵케이크 집을 열면서부터 나의 점심 시간은 딱히 몇 시라고 말하기 어렵게 되었습니다. 매일매일 점심 시간이 달라지거든요.

점심식사를 마치고 커피 마시러 들르는 손님을 치르고 나면 한 시 반이 되고, 컵케이크를 두 종류 정도 굽고 커피 한 잔 마시며 숨을 돌리면 애매한 오후 세 시. 세 시가 넘으면 왠지 곧 저녁 시간이 될 것 같아 점심을 포기하게 됩니다. 하지만 저녁식사 시간도 지키기는 쉽지 않습니다. 가게 구석구석 일을 돌보다보면 어느새 아홉 시 퇴근 시간이 되고 그제야 비로소 저녁을 먹을 수 있거든요. 컵케이크 집을 혼자 운영할 때는 점심을 챙기기가 더 힘들었지만, 일을 도와줄 직원을 구하고 나서부터는 일부러라도 시간을 내서 점심을 먹으려고 했습니다. 둘 중 한 사람이 나가서 먹을 것을 사오거나 손님들에게 염치 불구하고 간단한 음식을 시켜서 먹기도 합니다. 가끔은 한 사람씩 돌아가면서 근처 식당에서 점심을 먹고 오기도 하고요.

그날따라 혼자 점심을 먹으러 가는데 왠지 쓸쓸했습니다. 근처 일식집에서 알밥 정식을 주문하고 앉아 있는데 마음속이 울렁거립니다. 회사를 계속 다녔으면 편안하게 점심을 먹었을 텐데, 동료들과 맛집을 찾아다니면서 함께 웃고 떠들며 여유롭게 점심식사를 했을 텐데…… 친구들과 어울려 밥도 먹지 못하는 이 생활이 정말 내가 원했던 삶일까. 이런저런 생각에 갑자기 서러워지면서 눈물이 핑 돕니다. 제때 밥도 챙겨먹지 못하는 하루하루가 온전히 즐겁다고는 말하기 어렵습니다. 같이 점심 먹자며 전화하는 친구들에게 가게 일 때문에 외출할 수 없다며 거절하는 일도 결코 유쾌하지는 않거든요. 언제부터인가 점심은 거르기 일쑤고, 제때 챙겨먹더라도 혼자 적적하게 먹을 수밖에 없는 외로운 식사가 되었죠. 그래서 자꾸만 점심 시간을 잊게 되는지도 모르겠습니다.

링거 주사

어릴 적 동생은 안경 쓴 친구가 그렇게 부러웠다고 합니다. 그 친구처럼 안경을 쓰기 위해 일부러 바투 앉아 TV를 봤고 어두운 곳에서 책을 보는 등 시력을 떨어뜨리기 위해 갖은 노력을 했답니다. 결국 안경 쓰기 프로젝트는 성공했고 동생은 친구보다 훨씬 멋진 안경을 손에 넣었죠. 지금은 라식 수술을 하고 싶다며 노래를 부르고 있지만 말이죠.

나는 안경은 별로 부럽지 않았지만 조회 시간에 뙤약볕을 이기지 못하고 쓰러지는 친구들이나 몸이 아파 체육 시간에 양호실에서 쉬는 청순하고 약한 친구들이 참 부러웠습니다. 그건 아마도 내가 가질 수 없는 것에 대한 동경이었을 테지요. '건강, 발랄, 밝음'의 대명사인 나와 청순가련한, 더구나 병약한 여자의 모습은 절대 어울리지도 않았고, 아무리 꿈꾸어도 이룰 수 없었기 때문이죠. 그래서 링거 주사는 정말 꿈의 주사였습니다. 그 흔한 감기도 잘 걸리지 않는 건강 체질이었기에 학교에서 정기적으로 맞는 예방 주사를 제외하고는 주사를 맞으러 병원에 가야 할 만큼 아픈 적이 한 번도 없었거든요. 청순한 모습으로 하얀 시트가 깔린 병원 침대에 누워 링거 주사를 맞는 일은 평생 한 번도 없을 것 같았습니다.

그랬던 내가 드디어 링거 주사를 맞게 되었습니다. 컵케이크 집을 열고 한 달쯤 지난 어느 날부터인가 하루 종일 어지럼증을 느꼈습니다. 세상이 뱅글뱅글 돌아갑니다. 가끔 자리에 앉았다 일어나면 머리가 핑 돌면서 제대로 서 있기도 어렵고 세상이 노랗게 변하기도 합니다. 내가 정말 왜 이러지. 슬슬 걱정이 됩니다.

며칠 동안 어지럼증을 호소하다가 결국 병원을 찾았습니다. 이름만 들어도 무서운 신경외과. 대기실에 비치되어 있는 의학 자료를 보고 있자니 덜컥 겁이 납니다. 어지럼증의 원인이 백혈병 같은 무서운 질병일 수도 있다고 하네요. 두려운 마음을 안고 진료실에 들어가니 의사 선생님이 이런저런 질문을 합니다.

병명은 갑자기 늘어난 일의 양과 그 스트레스로 인한 일시적인 어지럼증. 휴. 큰 병이 아니라 다행이지만 이 정도 일로 쉽게 아플 만큼 체력이 떨어졌다니 문제입니다. 이어지는 의사의 말.

"링거 주사 한 병 맞고 가세요."

꿈에 그리던 링거 주사를 맞게 되었습니다. 잘 다니던 회사를 그만두고는 사서 고생한다며 안타까워하는 엄마를 침대 옆에 앉혀두고 링거 주사를 맞으니 어두운 마음만큼이나 눈꺼풀이 무겁습니다. 이걸 맞고 나서 벌떡 일어나 기운차게 또 컵케이크를 구워야겠죠. 하지만 지금은 잠깐의 휴식을 즐겨야겠습니다.

17센티미터×120센티미터 크기의 청첩장과 봉투 오백 부 제작을 가정하고 카드에 175그램, 봉투에 120그램의 70퍼센트 재생종이를 쓴다면 약 16.3킬로그램의 재생종이를 사용하게 됩니다. 2011년 한 해 동안 치러진 결혼식이 약 33만 건이니 계산해보면 약 12만9천 그루. 청첩장을 재생종이로 바꾸는 작은 행동만으로 살릴 수 있는 나무가 이렇게 굉장히 많습니다.

2008년 5월 16일 해질 무렵 소마 미술관 앞 잔디밭에 '깊은 산속 옹달샘' 멜로디가 울려 퍼집니다. 그러고는 옥수수수수염에서 추출한 실로 만든 친환경 드레스를 입은 신부가 등장합니다. 그렇습니다. 나의 결혼식입니다. 결혼식의 콘셉트는 '친환경' 입니다. 그동안 환경에 관심은 많았지만 한 번도 직접 실천해보지는 못했는데, 결혼식을 준비하면서 제대로 한번 해보자는 마음과, 또 주제가 있는 완벽한 결혼식을 치르고 싶은 욕심이 시너지 효과를 일으키며 진짜 친환경 결혼식을 준비하게 되었습니다.

호텔에서 치르는 사치스런 결혼식도 싫었고 번잡한 웨딩홀에서 후딱 해치우는 듯한 결혼식은 더더욱 싫어 한참을 고민한 끝에 풍요로운 감성이 가득한 미술관에서 결혼식을 올리기로 결정합니다. 미술관을 생각해내고

는 강원도 산골부터 경기도 인근에 있는 미술관까지 결혼식을 올릴 만한 적절한 공간을 찾아보았습니다. 그리고 결국 서울 시내에 있는 한 미술관을 선택합니다.

하루만 빌려입는 웨딩드레스도 싫었습니다. 그래서 나만의 웨딩드레스를 가질 순 없을까 고민하던 차에 외국 잡지에서 본 종이로 만든 친환경 드레스가 떠올랐습니다. 인터넷으로 친환경 드레스를 검색하던 중 국내 유일의 친환경 드레스 디자이너를 알게 되었고, 무작정 그녀에게 연락해 드레스를 만들어달라고 청했습니다. 그렇게 남들과 똑같은 것은 싫고 또 재미없는 것도 피하고 싶은 마음에서 시작한 일이 결국은 결혼식 과정 전체를 친환경 스타일로 하게 될 계기가 될 줄은 몰랐죠.

옥수수수염에서 추출한 실로 만든 웨딩드레스와 예복은 땅에 묻힐 경우 오 일이 지나면 자연히 썩어 없어진다고 합니다. 재생종이로 만든 청첩장은 일차적인 정보전달 목적을 다한 후 약간만 디자인을 바꾸면 종이 사진틀로 재활용할 수 있게 제작했습니다. 청첩장 겸 사진틀이라는 멋진 아이디어 덕분에 나무 한 그루도 살릴 수 있으니 일석삼조네요.

결혼식을 꾸미는 데 사용되는 화환 대신 살아 있는 화초를 준비해 결혼식장에 삶의 에너지를 풍성하게 채웠습니다. 음식은 적당한 양만 준비하고 전부 유기농 재료를 썼습니다. 일회용 그릇과 나무젓가락도 없습니다. 참석한 사람들도 모두 행복하고 우리가 살고 있는 지구도 기뻐할 만한 그런 결혼식을 만들고 싶었습니다. 결혼식을 준비하면서 앞으로도 환경을 사랑하고 보호하는 그린 라이프를 꾸려가야겠다고 다짐했습니다.

하지만 막상 컵케이크 집을 운영하면서 친환경적인 삶을 지켜나가기가 쉽지 않습니다. 하루 종일 설거지를 해야 하니 쓰는 세제 양도 만만치 않고 테이크아웃 용도의 일회용 컵도 대량으로 구매해야 합니다. 손님들이 먹고 남긴 쓰레기 양도 엄청납니다. 쓰레기 분리수거나 음식물 쓰레기 모으는 일은 어렵고 번거로워 자꾸만 미루게 됩니다. 무엇보다 컵케이크 포장이 가장 큰 문제입니다. 맛있는 케이크를 예쁘게 담고 싶은 마음에 쓰고 있는 비싼 고급 재질의 포장상자는 사실 청첩장을 재생종이로 만들어 살려냈다고 자랑스럽게 이야기하는 나무 한 그루뿐만 아니라, 그 주변의 수십 그루를 베어내 만든 상자일지도 모르니까요.

땅에 묻으면 오 일 안에 썩어 없어지는 친환경 소재의 드레스와 나무 수십 그루를 희생시켜 만든 예쁜 포장상자 사이에서 망설이고 있습니다. 가장 현명한 답을 찾기 위해 고민하면서 말이죠.

착한 소비

참 이해할 수 없는 일들이 있습니다. 착한 소비를 하려는데 왜 더 많은 돈이 필요한 걸까요. 유기농 식재료를 구입해 나도 건강하고 지구도 건강하게 하려면 일반 식재료 값보다 더 많은 돈을 지불해야 합니다. 공정무역으로 들여온 물건도 일반 제품보다 더 비싼 경우가 많습니다. 종이도 마찬가지고요. 재활용지가 더 저렴하다고 생각하기 쉽지만 실은 일반 용지보다 두 배 가까이 비싸답니다. 더 많은 사람들이 착한 소비를 하려면 접근하기 쉬워야 하는데 진입 장벽이 너무 높습니다.

일회용 컵이나 포장용기를 사용하지 않을 수 없다면 최소한 재활용지로 만든 제품을 쓰고 싶지만 비용이 만만치 않아 망설이게 됩니다. 비용도 문제지만 방법도 문제입니다. 제일 좋은 방법은 일회용 컵을 전혀 쓰지 않고 머그잔을 이용하는 것이겠지만, 테이크아웃 커피를 판매하는 컵케이크집에서 머그잔 사용만 고수하는 것은 불가능하잖아요. 테이크아웃 커피를 완전히 포기하기 전에는 말이죠. 그렇다면 재활용지로 테이크아웃용 컵을 만들 방법은 없을까요? 아무리 인터넷을 뒤져봐도 관련 정보를 찾을 수 없는 것을 보면 아마도 아직까지는 방법이 없는 모양입니다.

컵케이크 집을 열었을 때만 해도 나의 즐거움과 만족이 가장 우선이었던 것이 사실입니다. 어쩌면 맛있는 케이크를 구워 다른 사람들에게 행복을 전하고 싶다는 생각조차도 나를 위한 일이었는지 모르겠습니다. 그런데 이상하게 점점 시간이 흐르고 우리 케이크를 맛본 사람들이 많아질수록 자꾸만 조금 더 좋은 것, 조금 더 착한 것 그리고 우리 모두에게 유익한 것이 무엇일까 생각하게 되고 계속 마음이 쓰입니다. 지금 내가 할 수 있는 일은 작고 소박하지만 이런 고민들이 모이고 경험이 쌓이다보면 언젠가 환경과 사람을 살리는 현명한 방법이 떠오르지 않을까요?

가을

나는 아무런 노력도 하지 않았는데
이미 가을이 성큼 찾아왔습니다.
무더운 여름이 지나면
혹독한 겨울이 오기 전
잠시 쉬어갈 수 있는 가을을 선물해주는
거대한 자연의 섭리 앞에서,
마치 나 혼자만 힘든 것처럼,
나에게만 꿈과 자유가 필요한 것처럼
그리고 나 혼자만 특별한 사람인 것처럼
너무 호들갑스러웠던 건 아닌지.
내가 주연이 되기 위해
사랑하는 모든 사람들을
조연으로 만들어버린 건 아닌지.

어쩐지 부끄러워집니다.

생일 케이크

"컵케이크가 매일 다 팔리진 않을 텐데 남은 컵케이크는 어떻게 하나요?"

남은 컵케이크를 어떻게 처리하는지 궁금한 분이 있을 거예요. 평소에 케이크를 많이 굽지 않아서 저녁에 컵케이크가 남는 날이 많지는 않지만, 가끔 손님이 뜸한 날엔 마음이 상할 정도로 꽤 남을 때도 있습니다. 그럴 때면 남은 케이크는 우리 가족들 몫입니다. 퇴근길에 컵케이크를 가득 들고 가면 식구들은 그렇게 많이 남아서 어떡하냐며 걱정하다가도 금방 하나씩 들고 맛있게 먹느라 조용해집니다. 그러면 조금 미안해집니다. 내가 구운 컵케이크를 가장 맛있게 먹어주는 사람들은 우리 가족인데 언제나 이렇게 팔다 남은 컵케이크만 대접하니까요.

사실 그보다 더 미안한 일도 있습니다.

가족의 생일이 돌아오면 마음이 무거워집니다. 케이크를 굽고 있으니 기념일엔 매일 굽는 컵케이크 말고 좀더 특별하고 맛있는 케이크를 만들고 싶습니다. 각자의 입맛을 고려해 평소에 가장 좋아하는 케이크를 구워주면 좋겠다 생각합니다. 그렇게 하면 되는데 왜 마음이 무겁냐고요?

특별한 생일 케이크를 구워야겠다는 생각은 늘 하는데 실천으로 옮기는 일이 쉽지 않거든요. 컵케이크가 인기를 얻게 되면서 점점 바빠졌습니다. 컵케이크 굽는 양도 늘었고 손님이 많아지니 케이크 굽는 것 외의 일들도 뜻밖에 늘어나면서 여유를 누릴 시간이 없어졌지요. 예전에 손님이 뜸할 때는 쿠키나 다른 종류의 케이크를 구워서 나눠먹기도 했는데, 이제는 컵케이크 굽는 일만으로도 충분히 분주합니다. 그러다보니 가족들 생일 케이크도 자꾸만 컵케이크로 대신하게 되네요. 컵케이크 여섯 개를 박스에 담아 생일파티 장소에 갈 때면 어쩐지 기쁘지만은 않아 자꾸만 케이크 상자를 만지작거리며 반성합니다.

미안합니다. 정말 중요한 게 무언지 알고 실천하며 살고 싶어 시작한 일인데, 정작 소중하고 중요한 일들을 미루게 되네요.

친구

대학을 졸업하고 회사에 다니면서 가장 행복한 일은 일상을 함께 나누는 사람들이 생겼다는 것이었습니다. 흔히 고등학교를 졸업하면 진정으로 마음을 나누는 친구를 만나기가 쉽지 않다고들 하는데, 그 말이 사실이라면 너무 가혹하다 싶었지요. 멋진 부모님을 만나 여러 나라에서 살며 다양한 경험을 쌓을 수 있는 좋은 환경에서 자라긴 했지만, 긴 시간을 함께 보낸 친구를 사귀지는 못했답니다. 물론 내 탓도 있겠지요. 멀리 떨어지더라도 부지런히 편지를 쓰거나 전화를 하며 관계를 이어갈 수도 있었을 텐데 그러지 못했으니 말입니다. 하지만 나름의 이유는 분명히 있죠. 새로운 환경에 치열하게 적응하느라 미처 뒤를 돌아보지 못했다고나 할까요.

회사에 들어가서 이 년이 넘는 시간 동안 꾸준히 만나게 되는 사람들이 생겼습니다. 함께 회사에 들어온 동기 친구도 있고 선배 언니들도 있답니다. 업무상으로는 전혀 관련이 없지만 지극히 개인적인 이유로 친하게 지내는 친구들도 생겼습니다. 가깝게 지내다보면 그 사람이 어떤 스타일의 옷을 좋아하는지 또 어떤 커피를 즐겨 마시는지 알게 됩니다. 언제 즐거운지 또 어떤 때 서운한지, 어떻게 하면 상처를 받는지도 알게 되지요. 다시

겨울이 돌아와 작년 겨울에 입던 코트를 꺼내입은 그들의 모습을 보면 가슴이 아려올 만큼 반갑기도 합니다. 이런 내가 이해가 안 된다면 그만큼 사람을 그리워했다고 생각해주세요. 회사를 나올 때 가장 마음이 아팠던 건 친했던 사람들과 공간적으로 멀어진다는 점이었어요. 그래서 컵케이크 집을 이태원에, 그것도 회사와 아주 가까운 곳에 열었답니다. 누구나 언제든 쉽게 찾아올 수 있는 곳에 문을 활짝 열어두고 기다리고 있으려는 마음으로요.

가게 오픈 초기에는 첫 마음처럼 그랬습니다. 컵케이크 집에 손님이 별로 없으니 점심 시간에 놀러온 친구들이나 회사 동료들과 떠들며 놀 수 있었고 저녁때는 폐점 시간과 상관없이 친구들을 불러 와인파티도 하고 커피를 한 잔씩 놓고 몇 시간씩 이야기를 나누기도 했답니다. 떠들썩하게 놀고 실컷 웃다가 밤늦게 집으로 돌아갈 때면 마음이 꽉 차고 뿌듯한 기분이었죠. 그래, 내가 원했던 게 바로 이런 거야.

그런데 언제부터인가 누가 저녁에 찾아온다고 하면 거절하는 나를 발견합니다. 아홉 시까지 영업이라 너무 늦으면 곤란하다고 말하기도 하고요. 손님이 늘어나면서 일이 많아지고 피곤해서 모든 게 귀찮아집니다. 누군가 놀러 와도 편히 앉아 이야기할 마음의 여유가 사라졌습니다. 회사를 나와 내 가게를 열면 누구 눈치도 보지 않고 마음대로 내 시간을 쓸 수 있을 거라고 생각했는데 친구들과 저녁 한 끼도 함께하기가 쉽지 않더군요. 그렇게 소중한 사람들을 만나기가 어려워집니다. 자꾸만 멀어지니 친구들이 점점 사라지는 것 같아 너무너무 마음이 아픕니다.

세입자의 설움

비 오는 오후, 창이 넓은 카페에 앉아 커피를 마시며 창밖으로 쏟아지는 비와 빗속을 걸어가는 사람들을 바라보는 것은 기분 좋은 오후를 보내는 가장 좋은 방법입니다. 그렇습니다. 나는 비를 참 좋아합니다. 사실 '좋아했었다'라는 표현이 맞겠네요. 컵케이크 집에 비가 뚝뚝 새기 전에는 말이죠.

큰 장마가 지나간 지 얼마 안 된 어느 날 아침 평소처럼 출근을 해서 문을 열고 컵케이크 집으로 들어섰는데 웬일인지 바닥에 물이 흥건합니다. 분명 어제 저녁에 내가 문을 닫고 나간 것이 마지막인데, 도대체 이 물이 어디서 왔는지 정체를 알 수 없습니다. 어제 비가 오지 않았던지라 대수롭게 생각하지 않고 대충 수건으로 바닥의 물을 닦아내고 잊었습니다. 그런데 다음 날부터 이상하게 천장에 작은 풍선 같은 주머니가 생깁니다. 마치 뜨거운 물에 데면 피부에 생기는 물집처럼. 콕 찌르면 톡 터질 것 같아 불안불안합니다. 다음 날, 풍선 주머니가 조금 더 커졌습니다. 그리고 하루하루 지날수록 점점 부풀어 오릅니다. 그런데 천장에 맺힌 방울이 점점 더 커지고 수도 늘어납니다. 용기를 내어 그중 가장 큰 방울을 콕 찔러보았습니다. 그랬더니 물이 뚝뚝 떨어집니다. 꽤 많은 양의 물이 떨어지고 나니 천

장에 뽈록 솟아났던 방울들이 사라지고 흔적만 남았습니다. 그리고 물은 계속 떨어집니다. 조금씩 계속. 컵케이크 집이 문을 연 지 두 달도 되지 않았을 때의 일이니 어찌나 마음이 조급하고 답답하던지요. 조금씩 손님들이 늘기 시작했는데, 문을 열자마자 머리 위에서 물이 뚝뚝 떨어지니 말이죠.

천장을 보수하기 위해 전문가들이 여러 번 다녀갔습니다. 지붕 위에 있는 관 하나가 터져 물이 고였기 때문이라네요. 지붕 위의 기와를 들어내고 터진 관을 새로 갈아야 물이 새지 않을 거라 합니다. 지붕 위도 문제지만 천장에 이미 너무 많은 물 구멍이 생겨서 내부공사도 불가피한 상황이라 컵케이크 집 인테리어 공사를 진행했던 업체에 일을 맡겼으면 했습니다. 하지만 집주인 할머니는 한사코 본인이 고용한 업체에서 보수공사를 진행해야 한다고 주장합니다. 별로 미더워 보이지 않아 마음이 무겁습니다.

하지만 세입자는 힘이 없습니다. 우리가 인테리어 공사를 하면서 관을 터뜨렸는지도 모른다는 이유로 공사비용도 절반을 부담해야 한다고 합니다. 이제 가게 문을 연 지 두 달도 안 된 어린 사장은 돈도 없고 여유도 없어 답답하지만 달리 방법이 없으니 어쩔 수 없습니다. 공사가 끝나고 며칠 뒤 또 큰비가 내렸는데 가게 천장에서 다시 물이 뚝뚝 떨어집니다. 집주인 할머니는 그제야 우리 쪽 인테리어 업체가 공사를 진행해도 좋다는 허락을 내립니다. 물론 비용은 우리가 모두 부담하는 조건이었죠.

그래도 여전히 집주인 할머니가 전화를 하면 나는 아주 친절하게 응대합니다. 세입자이니까요. 그리고 비만 오면 덜컥 겁이 납니다. 혹시 또 비가 새지는 않을까 해서요.

남편

사랑하는 남편에게,

오늘도 텅 빈 집에 먼저 들어와 나 기다리느라 심심했지? 내가 늦게 와서 집안일 하느라 힘들까봐 미리 청소도 하고 세탁기도 돌려놨더라. TV 보면서 당신이 해놓은 빨래를 널기만 하면 되니 나는 한결 편해졌어. 고마워.

우리가 처음 만났을 땐 나는 입사 이 년차 사원이었고 당신은 대리님이었지. 새롭게 배정받은 팀에서 사수였던 당신을 처음 봤을 땐 무지 까칠해 보여서 한동안 고생하겠구나 생각했어. 그런데 처음부터 당신은 참 친절하고 좋은 사람이었던 것 같아. 내가 커피를 좋아한다고 했더니 당신은 별로 좋아하지도 않는 커피를 함께 마시러 다녀주었잖아. 좋은 사람이긴 했지만 그래도 그 대리님과 내가 결혼을 하게 될 줄이야! 정말 누구 노래 가사처럼 그때는 정말 몰랐었어.

2008년 5월에 결혼을 하고 가게도 열었어. 그런데 이상하게 그때부터 당신에게 자꾸만 미안해. 신혼 때는 같이 장도 보고 어설프지만 요리도 해서 나누어먹으며 정을 쌓는다고 하던데, 우린 그런 추억이 별로 없는 것 같아 그것도 미안해. 당신보다 출근 시간이 늦는데도 아침식사를 잘 챙겨주지 못하는 것도 너무 미안해. 컵케이크 집이라는 새로운 환경에 적응하느라 한 번뿐인 신혼생활도 포기하게 된 것 같아 미안해.

우습지만 나는 컵케이크만 잘 구우면 될 줄 알았어. 달콤한 컵케이크를 굽고 맛있는 커피를 만들기만 하면 다른 문제는 별로 없을 거라고 아주 단순하게 생각했던 모양이야. 그런데 막상 가게를 시작하니 신경 써야 할 일이 한두 가지가 아니더라. 화장실 청소도 할 줄 모르고 갑자기 전기가 들어오지 않으면 어디에 연락해야 하는지도 모르고, 전구를 어떻게 갈아 끼우는지도 박스 주문은 어디서 해야 하는지 테이크아웃용 컵은 어디서 제작하는지, 정말이지 아는 게 하나도 없었어. 자꾸만 쌓여가는 짐들에 허덕이면서도 별다른 방법을 찾지 못해 가게가 지저분해지고 있을 때 부동산에 문의해 작은 창고를 마련해준 것도 당신이었지.

회사에서 '투잡'을 철저하게 금지하고 있어 컵케이크 집에 와 있지도 못하고 가게에 힘든 일이 있어도 도와주지 못한다며 항상 미안해하는 착한 남편. 당신도 일이 있는 사람이고 컵케이크 집은 내 일이니까 미안해하지 않아도 괜찮아. 회사 일도 만만치 않게 힘들고 피곤할 텐데.

그리고 고백하자면, 당신이 없었으면 아무것도 하지 못했을 거야, 난. 결국은 당신이 다 도와준 거나 마찬가지야. 고맙고 또 고마워.

이제 그만 자야겠다. 당신 자는 거 보니까 나도 자꾸만 졸려서 오늘은 여기까지만. 사랑해.

크리스마스

누구에게든 그렇겠지만, 내게도 크리스마스는 아주 특별한 날입니다. 종교적으로도 의미가 깊은 날이고 온 세상에 사랑이 풍성하게 넘쳐흐르는 매우 따뜻한 날인 것 같아 쌀쌀한 바람이 불어오는 9월만 되면 캐럴을 들으며 그날을 기다립니다. 컵케이크 집도 일찍부터 크리스마스를 앞두고 특별 컵케이크 세트를 출시했습니다. 미니 컵케이크 마흔 개가 들어가는 크리스마스 파티 세트와 일반 사이즈 컵케이크 여섯 개에 특별한 장식이 올려진 크리스마스 선물 세트가 바로 그것.

컵케이크 집 내부도 그동안 차곡차곡 모아온 크리스마스 장식을 총동원해서 예쁘게 꾸며 잔뜩 크리스마스 분위기를 냅니다. 게다가 캐럴까지 울려퍼지니 컵케이크 가게는 이미 11월부터 크리스마스 기운으로 가득합니다. 크리스마스가 다가올수록 분위기는 점점 고조되고 특별 컵케이크 세트 주문도 늘어납니다. 파티 세트 주문도 마흔 개가 넘고 선물 세트 주문량도 상당합니다. 주문량이 느는 것은 즐거운 일이지만 모든 주문이 12월 22일부터 25일 사이에 몰려 있어 그날 닥칠 일을 생각하면 온전히 유쾌하지만은 않습니다.

하루 종일 컵케이크를 굽고 영업 시간이 끝나면 잔뜩 구워놓은 미니컵케이크에 크림을 바르고 데코레이션을 합니다. 늦은 저녁 시간에 캐럴을 들으며 미니 컵케이크를 꾸미는 것은 분명 신나고 즐거운 일이지만, 현실은 그렇게 로맨틱하지 않더군요. 자꾸만 밖으로 달려나가 함께 파티를 즐기고 싶은 마음이 굴뚝같습니다. 밤늦도록 컵케이크를 만드느라 지친 나와 크리스마스 파티를 위해 예쁘게 꾸미고 컵케이크를 찾으러 온 손님들을 자꾸만 비교하게 되어 살짝 슬퍼지네요. 마치 남들 다 노는 황금 휴일에 시험 공부하는 중학생의 마음 같다고나 할까요. 아무래도 스물여덟 살의 여자에게 크리스마스란 그냥 눈 질끈 감고 지나가기에는 아직 어려운 날인가 봅니다.

그래서 크리스마스는 어떻게 보냈냐고요?

크리스마스이브에 아홉 시까지 열심히 일하고 집에 돌아가 우울하게 TV를 보다가 배가 고파 라면 하나 끓여 먹었지요. 결혼한 뒤 첫 크리스마스였는데 말이죠.

드라마

컵케이크 집은 낮 열두 시에 문을 열고 밤 아홉 시에 문을 닫습니다. 영업 시간 동안 컵케이크 재료 준비하기, 커피 만들기, 컵케이크 굽기, 판매 및 포장하기 등 가게가 정상적으로 운영되기 위한 모든 업무 분야를 넘나들며 활약합니다. 꽤나 엄청난 일을 하는 것 같은 기분이 드네요. 그렇게 열심히 하루를 보내고 집으로 돌아오면 저녁 시간의 대부분은 드라마를 보면서 보냅니다. 낮 시간의 일만큼이나 밤 동안 가장 열중하는 일이죠.

드라마는 컵케이크 집을 열기 전부터 좋아했지만 가게를 시작한 이후에는 절대로 빼놓을 수 없는 가장 중요한 하루 일과가 되었습니다. 특히 밤 열 시부터 열한 시까지는 아무도 방해할 수 없는 나만의 드라마 시간입니다. 퇴근하고 여덟 시쯤 친구가 가게에 놀러 와서 재미있게 이야기를 나누다가도 아홉 시 반이 되면 자리를 정리하고 집으로 갑니다. 드라마를 보기 위해서죠. 가끔은 드라마에 너무 집착하고 있는 게 아닌가 하는 생각이 들기도 하지만 그렇더라도 굳이 자제하고 싶지 않은 분명한 이유가 있습니다.

컵케이크 집을 열기 전엔 영화관 가는 것을 즐겼습니다. 혼자서건 둘이

서건 시간이 나면 언제든지 영화를 보러 갔습니다. 블록버스터 영화도 즐기고 독립영화도 가끔 보고 예술영화도 무척 좋아했지요. 내용을 이해하지 못해도 화면에 펼쳐지는 다른 세상을 보는 것만으로도 감성이 풍부해졌으니까요. 영화 보러 가는 일은 너무나도 자연스러운 내 삶의 한 부분이었답니다. 컵케이크 집을 시작하기 전에는 말이죠.

컵케이크 집 사장이 되면서 영화관에 가는 일은 아주 특별한 이벤트가 됩니다. 이제는 영화관 가는 일이 워낙 드물어 영화를 볼 땐 꼭 비싼 골드클래스에서 보자고 신랑과 약속을 할 만큼. 또 컵케이크 집을 열기 전엔 산책도 자주 다녔습니다. 퇴근 후 운동화를 신고 동네를 걸을 때 느끼는 상쾌함이 참으로 좋았지요. 산책만큼이나 운동하는 것도 좋아해서 테니스도 치고 등산도 했습니다. 컵케이크 집을 열기 전엔 말이죠. 이제는 하루 종일 가게에 서 있는 것만으로도 힘들어 운동보다는 휴식이 더 급합니다. 공연 보러 가는 것도 좋아했고 친구들과 몇 시간이고 이야기하는 데 열중해서 하루가 다 가는 줄도 몰랐고, 남편과 맛있는 음식을 먹으러 다니는 즐거움도 컸는데 가게를 열고부터는 좋아하는 일들을 조금씩 포기하게 됩니다.

그렇다고 억울하진 않습니다. 그냥 회사를 다녔다면 쉽게 할 수 있었을, 이 모든 일들보다 내가 선택한 지금의 삶이 훨씬 더 행복하기 때문입니다. 하루하루 열심히 살다보면 좋아하는 일을 자유롭게 할 수 있는 날도 오게 되겠죠. 그날이 올 때까지 지금 나의 유일한 엔터테인먼트, 드라마는 온전히 나의 것!

행복

언젠가 컵케이크 집을 다녀간 손님이 블로그에 "당신을 보면 자꾸 영화 〈카모메 식당〉의 주인이 생각나요. 아주 비슷한 느낌이랍니다"라는 글을 올린 적이 있습니다. 영화를 본 적이 없어 그분이 전하고자 했던 느낌을 이해하지 못했지만 왠지 칭찬인 것 같아 기분이 좋았답니다. 그러고 며칠 뒤 영화 제목을 기억해두었다 챙겨보았습니다.

카모메는 일본어로 '갈매기'라는 뜻이니 카모메 식당은 '갈매기 식당' 정도로 번역되겠군요. 카모메 식당의 주인인 사치에는 일본 사람인데 북유럽의 핀란드에서 작은 식당을 운영합니다. 문을 연 지 몇 달이 지나도록 마음을 열고 가게에 들어오는 핀란드 사람들이 없지만 그래도 사치에는 긍정적인 마음으로 하루하루 평온한 일상을 보냅니다. 그러던 중 만나게 되는 여러 사람들과의 에피소드가 일본 영화 특유의 잔잔한 톤으로 그려집니다.

손님이 오지 않아 걱정하는 친구에게 사치에가 괜찮다며 분명히 잘될 거라 말할 때는 같이 고개를 끄덕이고, 사치에가 정성스럽게 시나몬 롤을 만들 때는 나도 내일은 시나몬 롤을 구워야겠다고 중얼거리면서 재미있게 영화를 보다가 갑자기 울음을 터뜨렸습니다.

어느 날 찾아온 한 일본인 손님이 사치에에게 묻습니다.
"원하는 일을 한다는 것이 참 부럽군요."
"아뇨, 그저 싫어하는 일을 하지 않을 뿐이죠."

원하는 일을 하는 것과 싫어하는 일을 하지 않는 것에 어떤 차이가 있는지는 잘 모릅니다. 하지만 사치에의 말에 마음이 뭉클해지면서 눈물이 흐르는 건 어쩌면 그 차이를 내 마음은 이미 알고 있기 때문이겠죠.

사치에가 받았던 질문은 내게도 꽤 익숙합니다. 회사를 그만두고 모두가 꿈꾸는 카페를 열어 꿈같은 하루하루를 보내니 얼마나 행복하겠냐고 묻습니다. 그런 질문들 때문이었는지 아니면 나 또한 새롭게 선택한 내 삶이 완벽히 행복해야 한다고 생각해서였는지 잘 모르겠지만, 나 스스로 반드시 행복해야 한다고 강요했던 것 같습니다. 그냥 편안하게 삶에 나를 맡기고 작은 변화와 움직임을 느끼며 어떤 삶이라도 좋을 때가 있고 힘들 때도 있다는 것을 인정하지 못하고 말이죠. 이제 내가 원하는 일을 하는 사람이라는 오만에 가까운 자부심을 버리고, 그저 싫어하는 일을 하지 않는 것일 뿐 전혀 특별하지 않다는 겸손함을 택하기로 합니다. 그 정도로도 충분히 나는 행복하고 감사하니까요.

DAE YUNG BAKERY
LAMP STEAM POWER
TOP HEAT
BOTTOM HEAT
TIMER
DAE YUNG BAKERY

어느 하루

AM 8:00 기상. 출근 준비를 하면서 간단한 집안일.

AM 9:00 출근. 이태원 가게에 잠시 들렀다가 서래마을 가게로 이동.

AM 10:00 서래마을 가게에 들러 필요한 사항을 체크하고 오늘 필요한 재료와 컵케이크 등을 챙겨 이태원 가게로 이동.

AM 11:00 개점 준비. 간단히 가게를 정리한 후 미리 구워놓은 컵케이크 위에 프로스팅을 올리고 진열.

PM 12:00 개점.

PM 13:00 컵케이크 굽기. 틈틈이 점심식사(거르는 날도 있음).

PM 17:00 서래마을 가게로 이동.

PM 19:00 다시 이태원 가게로 이동해 잠시 가게에서 일을 보다가 집에 들러 간단한 집안일.

PM 20:30 마지막 주문을 받고 정리하면서 폐점 준비.

PM 21:00 폐점 뒤 정산 및 마무리 정리.

PM 22:00 드라마를 시청하면서 간단한 스트레칭.

PM 23:00 취침.

균형

흔들흔들
기우뚱하기도 하지만
그래도 균형을 잡아가며 잘 살아가고 있습니다.

Chapter 4.

녹차 그리고 얼그레이, 진한 향기를 오래오래

편지

안녕하세요, Life is just a cup of cake 사장님.

사장님이라고 불러도 될까요? 어떻게 호칭해야 할지 몰라서…… 이렇게 편지를 쓰니 왠지 두근두근하네요.

얼마 전까지만 해도 저는 수능을 무려 두 번이나 치른 재수생이었어요. 그런데 생각보다 결과가 안 좋아서 한동안 펜을 놨다가 마지막이다 싶은 마음으로 다시 세번째로 수능에 도전하게 되었어요.

네이버 블로그를 돌아다니며 구경하다 우연히 이 가게 블로그를 발견했어요. 꼭 와보고 싶었는데 드디어 찾아왔네요. 사실 지난번에 위치를 제대로 안 보고 왔다가 제일기획 건물 근처에서만 엄청 헤맸거든요.

아마 이번 방문이 올해 처음이자 마지막 방문일지도 몰라요. 그래서 이렇게 부랴부랴 편지를 씁니다. 들어오자마자 주문도 하지 않고 뭘 저리 쓰고 있나 이상하게 생각하셨을지도 모르겠어요. 호호.

가게가 정말 예쁘고 포근해요! 문을 열고 들어오는 순간 뭐랄까 몸을 감싸고 있는 공기가 갑자기 확 바뀐 느낌이었어요. 문 하나를 사이에 두고 현실과 동화 속을 오가는 것 같아서 진짜 기분이 좋네요. 보기만 해도 군

침이 도는 컵케이크도 정말 예뻐요. 사장님의 블로그에서 느꼈던 포근함으로 가득 차 있는 것 같아요.

음, 어쩌면 Life is just a cup of cake라는 가게가 저에게 삼수 도전이라는 큰 용기를 준 것 같아요. 감사해요. 올해 말에는 꼭 좋은 소식 가지고 다시 찾아뵐게요. 읽어주셔서 감사해요. 늘 따끈따끈하고 포근한 마음을 간직한 가게가 되길 바랄게요.

안녕히 계세요.

2009년 2월

영경 올림

180도

본격적으로 케이크 반죽을 시작하기 전에 미리 준비해야 할 일이 몇 가지 있습니다. 우선 모든 재료를 정확하게 계량해두어야 합니다. 컵케이크는 재료의 계량이 조금씩 다르더라도 결과에 큰 영향을 미치지는 않지만 몇몇 예민한 케이크는 재료에서 단 1그램의 차이만 나도 결과물이 달라지거든요. 그램 수는 조금 달라도 상관없지만 필요한 재료는 반드시 모두 들어가야 하므로 미리 재료를 확인하고 각각 계량해놓는 과정이 무척 중요합니다. 그리고 버터와 우유 등 평소 냉장보관하는 재료들은 반죽을 만들기 최소한 한 시간 전에 미리 밖에 꺼내두어 실온상태가 되도록 합니다. 그래야 잘 섞이거든요.

재료만큼이나, 아니 재료보다 더 중요한 것이 바로 오븐의 온도입니다. 보통 컵케이크는 175도에서 180도 사이의 온도에서 굽는데, 오븐이 거기까지 올라가는 데에는 어느 정도 시간이 필요하므로 케이크 반죽을 하기 훨씬 전에 미리 오븐을 켜두고 예열을 해야 합니다. 오븐이 적정 온도에 이르지 못한 상태에서 반죽을 넣게 되면 케이크가 적절하게 부풀지 않거나 반대로 넘치는 결과를 불러옵니다. 오븐에서 막 꺼냈을 때는 잘 구워진 것처럼 보이다가도 금세 크기가 작아지기도 한답니다.

또한 오븐의 온도가 너무 높으면 케이크 윗부분은 색이 진해도 안쪽은 덜 익는 상태가 되죠. 우리 컵케이크 집에서는 데크 오븐을 사용하고 있는데, 데크 오븐은 위온도와 아래온도를 따로 설정할 수 있습니다. 경험상 케이크를 굽는 데 가장 적절한 오븐의 위온도는 180도, 아래온도는 175도입니다.

컵케이크 반죽을 컵케이크 틀에 담아 오븐에 넣고 이십 분 정도가 지나면 오븐 안의 램프를 켜서 구워지는 모양을 살펴보곤 합니다. 봉긋한 모양으로 예쁘게 구워진 컵케이크를 보면 마음이 뿌듯하고 대견하거든요. 그러다 문득 모양도 예쁘고 맛도 좋은 컵케이크를 만들려면 반드시 적정 온도를 지켜야 하는 것처럼, 컵케이크 집을 운영하는 데에도 그리고 살아가는 데에도 보이지 않는 어떤 적정 온도를 유지해야 하지 않을까 하는 생각이 듭니다.

처음 가게를 시작했을 때는 열정이 넘쳐 하지 않아도 될 일까지 열심히 해서 문제가 되었는데, 시간이 흐를수록 꼭 해야 할 일을 미루는 일도 늘어나네요. 마음의 온도를 자꾸 올려 과한 욕심을 부리거나 지나치게 나 자신을 채찍질하지는 않으려고 합니다. 하지만 이글이글 불타는 마음만큼 두려운 건 어떤 일에도 설렘을 느끼지 않는 차가운 마음일 테죠.

매일매일 적당한 온도의 오븐에 컵케이크 반죽을 넣으면서 내 삶의 온도도 살펴봐야겠습니다.

두번째 가게

첫번째 가게를 연 지 반년 만에 가게를 하나 더 내게 되었다고 하니 다들 깜짝 놀랍니다. 가게가 정말 잘되나보다하며 부러워하는 사람들도 있고요. 물론 가게는 아주 잘되고 있죠. 기록적인 매출을 달성했다거나 사람들이 줄을 서서 컵케이크를 사가는 것은 아니지만 내가 만족하며 행복하게 잘해나가고 있으니 충분히 잘되고 있는 것 아닌가요? 도대체 어쩌다가 두번째 가게를 열게 되었는지 궁금하실 텐데요, 사실 특별한 계획 없이 어떤 자연스러운 흐름에 의해서 하게 되었다고 하면 좀 이상할까요?

나는 장기적인 계획을 세우고 단계별로 차근차근 일을 해나갈 만큼 철저한 사람이 못 됩니다. 그래서 뭐든지 즉흥적이죠. 두번째 가게를 설명하려면 다시 한번 백화점 입점에 대한 이야기를 꺼내야 합니다. 이태원 컵케이크 집의 문을 연 지 얼마 안 된 후부터 백화점에서 입점 제의가 들어왔습니다. 하지만 여러 가지 이유로 거절을 했고, 그로부터 얼마 되지 않았을 때의 일입니다. 일전에 이야기가 오가던 백화점이 아닌 다른 백화점에서 컵케이크 가게 입점과 관련된 연락이 왔습니다. 처음에는 성사되지 않았지만 같은 제의를 두 번이나 받고 보니 어쩌면 백화점에 들어가는 것이 자연스러운 다음 단계인지도 모르겠다는 생각이 들더군요. 그래서 조금 진지하게 생각해보기로 합니다. 그런데 아무리 생각해도 여전히 회색벽과 하얀 타일 그리고 오븐과 주방 기계들로 삭막하게 채워져 있는 공장 풍경이 살갑게 다가오지 않습니다.

좀더 나다운 방법은 없을까. 예쁘게 꾸민 주방과 그곳에서 컵케이크를 하루 종일 굽는 사람들. 그리고 편하게 커피나 컵케이크를 먹으러 작업실에 들르는 손님들. 달콤한 냄새가 가득한 예쁜 공장이라면 한번 해볼 만하지 않을까.

제조와 판매를 함께하려면 공간이 둘로 분리되어야 하고 출입구도 따로 설치되어야 한다는 이야기를 들었던 터라, 간단하게 구청 건축과에 문의하고는 적절한 장소를 찾기 시작합니다. 어디가 손님이 많을지 또 이전 가게가 성공했는지 등의 현실적인 정보들을 전혀 고려하지 않은 채 일단 내가 좋아하는 동네를 우선으로 생각합니다. 다니던 회사와 신혼집, 그리고 친구들이 있는 이태원이 첫 가게를 낸 장소였다면 두번째는 그동안 커피를 마시러 가장 자주 찾았던 동네, 그리고 가장 많이 걸어다녔던 서래마을이 안성맞춤입니다. 바로 부동산을 찾아가니 마침 부동산 옆집에 딱 우리가 원하는 크기에다 문이 두 개 달린 공간이 있어 바로 마음을 굳힙니다. 복잡하게 생각할 일 없습니다. 단점이 될 수도 있지만 이런 나의 성격과 일 처리방식이 나름 마음에 들기 때문에 종종 실수를 하더라도 그쯤은 괜찮다고 생각해버립니다. 그런데 준비 작업을 하나씩 해나갈수록 이상하게 백화점에 들어가는 것이 부담스러워집니다. 자꾸 빠져나갈 방법을 고민하게 되고요.

그런데 이게 어떻게 된 일일까요. 사업자등록을 하기 위해 구청 식품위생과를 찾았던 날 예상치 못한 소식을 듣게 됩니다. 제조업을 등록한 그 공간에서 판매를 하는 것은 막을 수 없지만 위생검사 때 반드시 문제가 될 거라네요. 사람들이 자주 드나드는 곳은 식품위생에 해가 될 만한 요소가 많다고 판단되어 영업정지를 받을 수도 있다고 합니다. 게다가 제조업소에는 일 년에도 최소한 열 번 이상 위생검사를 나온다고 하니 피하기는 어려울 거라고 말이죠.

백화점 입점을 계속 추진하려면 서래마을에 만드는 공간에서 카페의 기능을 완전히 없애야 하고, 손님들이 자유롭게 드나들 수 있는 열린 공간을 만들자면 제조업은 포기해야 하는 상황이 되었습니다. 둘 중 하나를 선택해야 한다면 당연히 동네 사람들이 편하게 드나들 수 있는 열린 공간, 바로 그것이지요. 그리하여 서래마을에는 예쁘고 한가한 두번째 컵케이크 집이 자리 잡게 됩니다.

두번째 가게를 시작한 것이 옳은 결정이었는지 모르겠습니다. 이태원 컵케이크 집도 아직 해야 할 것이 많은데 두 가게 일을 다 잘해낼 수 있을지 걱정이 되기도 합니다. 그렇지만 지금 이 순간 내게 주어진 것에 최선을 다하려고 해요. 할 수 있는 만큼만 즐겁게 열심히. 아직까지는 모든 일이 너무 재미있으니까요.

대출

신 용 전 표
라이프이즈저스트어컵
오브케익
A Kiss for you
HERSHEY'S

이태원 컵케이크 집을 연 지 반년 만에 서래마을에 가게를 내려 하니 자금 부담이 이만저만이 아닙니다. 이태원 컵케이크 집이 문을 열자마자 컵케이크가 인기를 얻으면서 서울 시내 곳곳에 다양한 컵케이크 가게들이 들어섰습니다. 잡지나 방송에서도 컵케이크가 자주 소개되면서 큰 주목을 받으니 주변에서는 컵케이크 집을 하면서 큰돈을 벌었다고 생각하기도 합니다.

컵케이크 집을 통해 얻고자 했던 목표가 돈이었다면 분명 많은 돈을 벌었을 겁니다. 운도 좋았고 시기도 잘 맞았기 때문에 욕심을 부렸다면 아마 그렇게 되었겠지요. 하지만 큰돈을 버는 데 관심이 없다보니 두번째 가게를 열기 위해 필요한 자금을 모으는 것이 또 다른 숙제가 되었습니다. 첫번째 가게는 결혼 준비와 함께 진행하면서 결혼과 창업의 예산을 조절해 가며 적절히 추진할 수 있었지만 두번째 가게는 조금 달랐습니다.

일단 은행에 가기로 합니다. 대출 상담을 받기 위해서입니다. 어엿한 사업가 같다고요? 회사에 다닐 때만 해도 대출을 받는다는 것은 상상조차 할 수 없는 일이었습니다. 돈이 있으면 있는 만큼 쓰고 또 없으면 없는 대로 쓰는 삶에 익숙해서 손안에 든 돈 이상을 구하기 위해 일부러 빚을 내는 대출이 전혀 필요하지도 않았고, 왠지 탐탁치 않았더랬죠. 빚은 큰 짐처럼 느껴지잖아요. 하지만 달리 뾰족한 방법이 없어 대출을 받기로 마음먹고 은행을 찾았습니다.

불안한 마음에 굳은 표정으로 대출 상담을 받다가 서울시에서 보조하고 있는 청년창업대출에 대한 정보를 들었습니다. 청년들의 창업을 장려

하기 위해서 서울시에서 낮은 이자로 창업자금을 대출해주는 프로그램인데, 자격요건만 갖추면 누구나 신청이 가능하다고 합니다. 몇 가지 필요한 서류를 구비하고 무작정 남대문에 위치한 신용보증기금을 찾아갑니다. 준비한 서류를 서류봉투에 담고 그곳으로 향하는 내 모습이 성공 여부와 상관없이 멋지고 자랑스러워 절로 어깨가 으쓱합니다. 나는 아직 이십대 청년이고 컵케이크는 사업적으로도 훌륭한 아이템이기 때문에 대출에 문제가 있으리라고는 생각하지 못했으니까요. 하지만 세상은 호락호락하지 않더군요.

신용보증기금은 음식과 관련된 창업은 지원하지 않는다는 원칙이 있었습니다. 한 해에도 수백 개의 음식점이 문을 열고 닫기 때문에 지원하는데 어려움이 있다고 하더군요. 사업의 아이템이나 비전 같은 것은 살펴보지도 않고 단지 음식 관련 사업을 한다고 해서 창업자금 신청조차 받지 않는다는 사실이 뭔가 부당하다고 생각됐지만, 신용보증기금의 대출 원칙이 그렇다고 하니 달리 더 할 말이 없습니다. 내가 받을 수 없다면 분명히 나보다 더 절실하게 필요한 사람이 받게 될 테니 아쉬우면서도 다행스러운 마음입니다.

서래마을 컵케이크 집은 결국 은행 대출을 약간 받고, 엄마표 대출로 부족한 부분을 메워 시작하게 되었습니다. 두번째 가게 역시 첫번째 가게처럼 욕심 부리지 않고 예산에 맞춰 공사를 진행했습니다. 과한 치장보다는 소박한 모습으로, 컵케이크의 달콤한 향기와 행복한 기운으로 이 공간을 가득 채우겠다는 마음으로 완성하였답니다.

서래마을에 사는 주민들과 멀리서 놀러오는 손님들이 편안하게 쉬었다 갈 수 있는 여유가 넘치는 공간이었으면 좋겠습니다. 우리 동네에 꼭 하나쯤은 있었으면 하는 길모퉁이 구멍가게처럼 말이죠.

사장

가끔 신문에서 회사에 입사해 초고속으로 승진해서 삼 년 만에 차장이나 국장 같은 고위직에 오른 사람들의 성공담을 볼 때가 있습니다. 문득 나는 회사에 입사한 지 삼 년 만에 사원에서 사장으로 승진한 셈이니, 나보다 더 초고속 승진을 한 사람이 있을까 하는 생각을 해봅니다. 사장인 나를 제외하고 함께 일하는 직원이 네 명밖에 안 되는 작은 컵케이크 집 사장이지만 직원이 칠백 명이 넘는 큰 회사에서 사원으로 일할 때와 비교하면 분명 더 많은 것을 배우고 있거든요.

누군가가 시키는 일을 할 때는 그 일만 처리하면 되니까 마음이 편했는데 내가 다른 사람에게 일을 시켜야 하는 입장이 되고 보니, 어떤 일을 어느 수준까지 해달라고 할 것이며 그 일이 잘되고 있는지 어떻게 확인할 것인지 등등 세세한 것까지 고민하게 되고 말하는 것도 부담스럽습니다. 시키는 일을 할 때는 내 마음에 들지 않으면 싫은 티를 팍팍 내기도 했는데 반대로 누군가에게 일을 요청하게 되니 자꾸만 상대방이 싫어하면 어쩌나 눈치도 보게 됩니다.

바닥에 떨어져 있는 쓰레기는 돋보기를 쓴 것처럼 크게 확대되어 보이고 작은 소음도 확성기를 귀에 갖다 댄 것처럼 크게 들립니다. 한 일과 하지 않은 일은 마치 색깔이 다른 크레파스로 확실하게 표시라도 한 것처럼 선명하게 분리되어 보이기까지 합니다. 사장이 되면서 더 잘 보이는 안경을 쓰고 더 잘 들리는 보청기를 낀 것이 아닐까요. 사실 이런 슈퍼파워를 이용해 손님들을 더 살펴보고 손님들의 이야기를 더 섬세하게 듣고 또 함께 일하는 직원들의 마음을 잘 헤아려주면 좋으련만, 당장 해야 할 일에 급급해서 내 안경과 보청기를 좋은 방향으로 사용하기가 쉽지 않습니다.

우습게도 사장이 되고 보니 사원이었을 때의 나의 모습을 반성하게 됩니다. 내가 상사였다면 나 같은 사원은 참 쉽지 않았겠다라는 생각에까지 이르자 조금은 미안해집니다. 누군가 그랬죠. '지금 알고 있는 것을 그때도 알았더라면'이라고 말이죠. 지금 다시 회사로 돌아가 사원으로 일한다면 훨씬 더 융통성 있고 유연하게 대처할 수 있을 것 같달까요. 그때는 보이지 않았던 것들이 이제는 보이니까요. 하지만 깨달음이 부족했던 그 시절이 있었기에 지금의 나로 성장했다는 생각도 듭니다.

다시 사원으로 돌아가기는 어려우니 반대로 나 같은 젊은 직원들을 잘 이해하고 격려해줄 수 있는 좋은 사장이 되려고 합니다. 그러다 보면 '좋은 사람'이 되겠지요.

메뉴 개발

작곡가가 새로운 음악을 만드는 것처럼, 화가가 새로운 그림을 그리는 것처럼, 안무가가 새로운 춤 동작을 만들어내는 것처럼 나도 그런 마음으로 새로운 컵케이크를 만든답니다. 컵케이크 집을 시작한 지 일 년이 넘었으니 이제 구울 수 있는 컵케이크 종류도 어림잡아 서른 가지가 넘지만 그래도 여전히 새로운 맛에 대한 호기심과 도전 정신은 멈추지 않습니다. 컵케이크는 나의 작품이고 새로운 컵케이크를 만드는 과정은 예술을 하거나 발명을 하는 것처럼 늘 설레고 두근거리거든요.

메뉴 개발을 할 때는 인터넷을 통해 외국의 컵케이크 집에서 새롭게 출시하는 컵케이크 메뉴를 눈여겨봤다가 만들기도 합니다. 그러나 한국에서 구하기 어려운 재료를 사용하는 경우가 많아서 정확한 맛을 만들어내기란 쉬운 일이 아닙니다. 재료를 구하기 어려울 때는 비슷한 느낌을 내는 재료를 생각해보고 케이크에 잘 어울릴 것인지를 상상해본 후 다시 시도해봅니다. 가끔은 성공을 하고 때로는 전혀 예상외의 맛이 탄생하기도 합니다. 실패할 때는 바로 쓰레기통으로 직통하는 슬픈 운명을 맞기도 하죠.

때로는 일반 케이크나 타르트 혹은 아이스크림 같은 디저트를 먹으면서

그 맛을 컵케이크에 응용해보기도 합니다. 얼그레이 홍차로 구워낸 향이 좋은 홍차 케이크 위에 달콤한 화이트 초콜릿 버터크림을 얹어 만든 얼그레이 컵케이크는 영국에서 맛보았던 얼그레이 티 케이크를 상상하며 만든 것입니다.

가장 많이 실패한 메뉴는 캐러멜 컵케이크입니다. 캐러멜의 쫀득쫀득하고 달콤한 맛을 내보고 싶어 레시피를 찾아 캐러멜 컵케이크 만들기에 도전합니다. 흑설탕만 이용해보기도 하고 황설탕과 흑설탕을 함께 써보기도 하고, 밀가루 양을 늘리거나 줄여보고, 캐러멜 시럽을 만들어 넣기도 하고

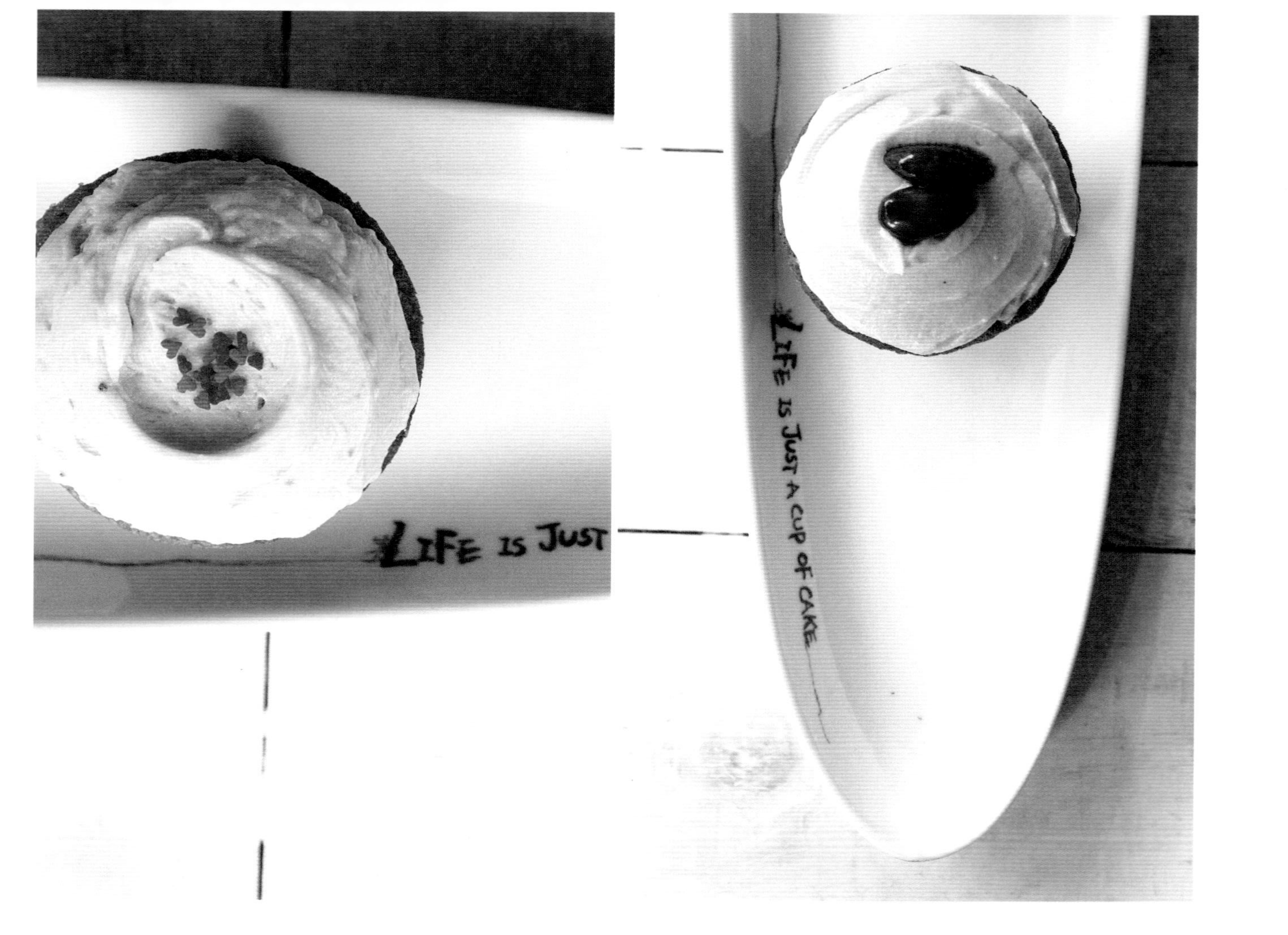
LIFE IS JUST
LIFE IS JUST A CUP OF CAKE

시중에서 판매하는 캐러멜을 녹여서 넣는 등 정말 이런저런 방법을 다 시도해보았답니다. 여러 번 연구 끝에 원하는 맛을 내는 레시피를 찾아내 구웠는데 어떻게 된 일인지 매번 구울 때마다 컵케이크 모양이 달라집니다. 한번은 너무 작게 구워지고 또 한번은 컵케이크 틀 위로 반죽이 다 넘쳐흘러 완전히 푹 퍼진 컵케이크가 되었습니다. 정확한 원인을 몰라 재료의 비율을 조금씩 바꾸거나 재료 자체를 바꿔보기도 하지만 설탕이 많이 들어가는 케이크라 그런지 일정한 모양을 내기가 어렵습니다.

캐러멜 맛이 욕심나 계속 구워내면서 예쁜 모양이 나온 날엔 판매를 하고 그렇지 않은 날엔 버리는 식으로 캐러멜 컵케이크를 굽다가 결국은 잠정 포기하고 말았습니다. 매일매일 일정량의 컵케이크를 구워내야 하기 때문에 구울 때마다 모양이 달라지면 아무래도 곤란하거든요. 캐러멜 컵케이크를 좋아하는 손님들이 꽤 많았는데 아쉽네요. 그렇다고 완전히 포기한 것은 아니랍니다. 꼭 언젠가는 가장 맛있고 달콤한 캐러멜 컵케이크를 만들어낼 생각이에요. 쫀득한 캐러멜을 먹으며 그 맛을 자꾸만 상상하다보면 꼭 만들 수 있을 것만 같거든요.

외국 컵케이크

컵케이크만 전문적으로 굽기 시작한 지 벌써 일 년 반이 되어갑니다. 단지 굽기만 한 게 아니라, 재료를 이것저것 바꿔보고 양 조절도 하면서 제과제빵 연구도 하고 외국의 각종 요리 책을 뒤져가며 열심히 공부도 했습니다. 또 부족한 점이 많아 제과 전문가들에게 이것저것 묻기도 하며 컵케이크에 푹 빠진 채 참 많은 것을 배웠습니다. 이번 런던 여행을 통해서도 느낀 바가 참 많습니다.

미국이나 영국 등 서양에서는 빵이 주식이고 가정에서도 직접 빵이나 케이크를 굽는 경우가 많아 무척 다양한 제과제빵 재료들이 있습니다. 값이 싼 제품부터 고가의 고급 제품까지 선택의 폭이 무척 넓어요. 그리고 대다수의 외국 컵케이크 레시피를 살펴보면 버터 대신 저렴한 식물성 기름인 쇼트닝이나 마가린을 쓰는 것을 알 수 있습니다. 쇼트닝이나 마가린은 케이크를 구울 때 크림 상태로 만들기가 쉽고 크림을 만들 때 색도 밝고 부피도 많이 늘어나는 장점이 있습니다.

워낙 다양한 케이크를 자주 먹는 외국 사람들은 마가린이나 쇼트닝이 들어간 케이크를 큰 거부감 없이 받아들일 수 있지만 특별한 디저트로 케

이크를 즐기는 우리나라 사람들에게는 납득하기 어려운 재료 중 하나이지요. 나부터도 쇼트닝으로 만든 케이크는 먹고 싶지 않으니 말이죠. 그렇다 보니 우리 컵케이크 집에서는 최고급 천연 버터를 사용합니다. 버터로 만든 케이크는 분명 쇼트닝이나 마가린으로 만든 케이크와는 전혀 다른 맛을 낸답니다. 그 맛이 미국 스타일의 컵케이크 맛이 아니더라도 절대 이상하게 생각하지 마세요! 왜냐면 더 고급 재료로 만든 것이니까요.

미국이나 영국 컵케이크의 케이크 부분은 아주 단순한 맛과 식감을 가지고 있는 게 대부분입니다. 케이크의 양도 매우 적고요. 케이크의 높이는 엄지손가락보다 짧지만 대신 그 위를 풍성한 크림으로 채웁니다. 그래서 그들의 컵케이크는 프로스팅 없이 케이크만 먹으면 별다른 맛을 느낄 수가 없어요. 그저 달콤한 크림을 받쳐주는 정도의 역할만 하거든요. 그들은 주로 달콤한 프로스팅을 즐기기 위해 컵케이크를 먹습니다.

알록달록한 스프링클

하지만 우리나라에서는 조금 다르지요. 지나친 단맛보다는 적당한 달콤함을 좋아하고 케이크가 촉촉하고 부드럽기를 바라며 맛 또한 고급스럽기를 원합니다. 외국의 유명 컵케이크 집 레시피를 살펴보면 대부분 모든 재료를 한 볼에 넣고 섞는 방식으로 반죽을 만듭니다. 이런 반죽으로 구우면 단단하고 쫄깃쫄깃한 식감의 케이크가 구워지는데, 이것이 미국 컵케이크의 특징이에요. 이런 컵케이크는 우리나라 사람 입맛에 맛있다기보다 지나치게 밀가루 맛이 많이 난다고 느껴집니다. 그래서 우리 컵케이크 집에서는 유명하다는 미국 스타일의 컵케이크를 그대로 따르지 않고 우리 입맛을 고려한 Life is just a cup of cake만의 독자적인 컵케이크를 개발했답니다.

천연 버터, 발로나 초콜릿 등 제과 분야 사람들이 모두들 인정하는 좋은 재료를 사용하다보니, 미국의 컵케이크 가격보다 조금 더 비쌀 수밖에 없습니다. 그렇다고 불량식품 같은 외국 스타일의 컵케이크를 그대로 따라 만들고 싶지는 않았거든요. 간혹 외국의 컵케이크보다 더 비싼 가격 때문에 손님에게 항의를 받기도 하는 등 어려움이 있지만, 세계 어디에서도 맛볼 수 없는 고급스럽고 특별한 컵케이크를 만들려고 계속 노력 중입니다.

미국에서 먹던 컵케이크 맛은 아니지만 미국의 컵케이크보다 더 맛있다면, 미국 사람들도 자기가 먹어본 컵케이크 중 가장 환상적인 맛이라고 칭찬해주었다면, 그리고 영국의 컵케이크 집 사장님이 영국에 와서 컵케이크 사업을 해보는 건 어떻겠냐는 제안을 할 정도의 컵케이크라면 한번 먹어볼 만한 가치가 있지 않을까요?

런던 프림로즈의 컵케이크

시식회

정말 우연히 알게 된 이벤트였습니다. 평소처럼 여러 포털사이트를 돌아다니며 가게 이름을 검색하던 중 몇몇 블로거들이 모여서 컵케이크 시식회를 한다는 공지를 보게 되었습니다. 요즘 컵케이크가 워낙 인기가 많으니 컵케이크 집을 전부 다니며 맛을 보기에는 시간도 너무 많이 들고 비용도 부담이 되니까, 함께 모여서 여러 가게의 컵케이크를 맛보고 평가해보자는 취지였습니다. 컵케이크 집 식구들이 다른 가게의 컵케이크를 맛보고 평가해본 적은 있지만, 일반 사람들의 나름 객관적인 기준을 토대로 이루어진 평가는 받아본 적이 없던 터라 결과가 궁금했답니다. 마침 그 글을 보게 된 날이 이벤트 바로 전날이라 곧 결과를 볼 수 있다는 생각에 하루에도 몇 번씩 블로그를 들락거립니다.

시식회 당일이 되자 컵케이크 집 식구들 모두 과연 우리 손님 중 누가 시식회에 쓰일 컵케이크를 사갔을지에 대해 하루 종일 이야기했습니다. 바닐라와 초콜릿 컵케이크는 블로그 평가단의 필수 시식 메뉴이니 그 두 가지 컵케이크에 두 종류를 더 사간 손님들은 모두 우리의 추적 대상이었습니다. 사실 그 손님이 누구인지 안다고 해서 특별히 달라지는 것은 없지만 그래도 자꾸만 신경이 쓰이던걸요. 다음 날 아침 동생에게서 전화가 왔습니다.

"언니, 시식회 결과가 올라왔어. 확인해봐. 우리가 일등이야!"

맛으로는 절대 밀리지 않는다고 자신했지만 그래도 은근히 떨리는 마음으로 결과를 기다리고 있었는데 바닐라와 초콜릿 컵케이크 모두 당당하게 일등을 차지한 겁니다. 공신력 있는 기관의 평가도 아니고 엄청 대단한 이벤트도 아니지만 우리는 이런 작은 일에 기뻐하고 슬퍼하면서 살고 있습니다. "정말 맛있는 컵케이크"라는 블로그 글 한 줄에 신이 나 더 맛있게 구울 방법을 연구하고, '친절한 언니' 라는 칭찬을 들으면 더 친절하게 응대하려고 노력하면서 말이죠. 칭찬 많이 해주세요. 칭찬은 고래뿐 아니라 우리 컵케이크 집도 흔들흔들 춤추게 한답니다.

나눔

요즘 컵케이크 집을 열고 싶어서 문의해오는 사람들이 점점 늘고 있습니다. 컵케이크 만드는 방법을 가르쳐달라는 요청도 많고요. 그렇지만 수백 개의 컵케이크를 쓰레기통으로 보내는 실패 끝에 겨우 얻은 소중한 레시피나 맨땅에 헤딩하는 식으로 하나씩 배우게 된 가게 운영 노하우를 아무렇지 않게 다른 사람에게 내놓는 일이 어떻게 쉽기만 하겠어요. 주저주저하다 컵케이크에 관심을 표하는 많은 사람들에게 자꾸만 거절의 말을 건네곤 했었죠.

얼마 전 런던에 다녀왔습니다. 외국의 컵케이크도 궁금하고 여행도 하고 싶고, 컵케이크 집과 신혼집 두 곳을 종종걸음으로 오가는 일상에서 잠시 벗어나고 싶은 마음에서 떠난 여행이었습니다. 런던 한복판에서 전 세계 사람들이 뿜어내는 열기를 느끼면서 서울의 작은 컵케이크 집에서 아옹다옹하던 나의 일상이 부끄러웠습니다. 마음을 넓게 쓰면서 더 많이 나누고 베풀어야 하는데…… 이 모든 일이 정말 감사하게도 잠시 내게 허락된 것일 뿐인데 말이죠.

Life is just a cup of cake

가게 이름을 'Life is just a cup of cake'라고 지어놓고도 나는 어쩌면 인생을 너무 심각하게 살아가는 것은 아닌지 돌아보게 되더군요. 그래서 말이죠. 이제는 컵케이크 집을 열고 싶어하는 사람들에게 기꺼이 도움을 주려고 합니다. 컵케이크 집을 시작할 때는 맛있는 컵케이크를 나누려고 했습니다. 그리고 이제 일 년이 지나 맛있는 컵케이크와 더불어 나의 꿈도 나누려고 합니다. 컵케이크 만드는 방법도 알려드리고 좋은 재료 구하는 방법, 가게 준비하는 방법 등 부족하지만 아낌없이 나누려고 합니다.

'Like love, cake is best when shared' 이니까요.

MILK

첫 수업

생전 처음 하얀색 조리복을 입고 무선 마이크를 달았습니다. 숨소리까지 마이크를 통해 들릴지도 모르니 조심하며 말이죠. 머리에는 컵케이크가 잔뜩 프린트된 두건을 쓰고, 오늘은 특별히 컵케이크 티셔츠도 입었답니다. 다시 한번 레시피를 훑어보고 재료도 빠짐없이 확인합니다. 계량은 정확한지 오븐의 온도는 잘 맞추었는지 확인 또 확인.

이제 학생들이 들어옵니다. 서른여덟 명이나 참석하네요. 단 한 사람 앞에서도 강의를 해본 적이 없는데 첫 수업을 마흔 명 가까이 되는 학생들 앞에서 진행하려니 무척 긴장되는군요. 드디어 시작해야 하는 시간입니다. 실온에 내놓아 충분히 말랑말랑해진 버터를 볼에 탁 내려놓으면서 나의 첫 컵케이크 수업이 시작됩니다.

"클래스는 안 하시나요?"

컵케이크 집을 연 지 얼마 되지 않았을 때 받기 시작한 질문을 일 년 동안 듣다보니 어느 순간 나 자신도 왜 클래스를 안 하는지 궁금할 정도가 되었습니다. 컵케이크는 굳이 누군가에게 배우지 않더라도 쉽게 구울 수 있는 케이크라 가르쳐줄 것이 딱히 없다고 생각하기도 했고, 제과제빵을 전문적으로 배운 적이 없는 내가 누군가를 가르친다는 것이 낯 뜨거워 클래스 요청에 언제나 손사래를 치곤 했습니다.

일 년이 지나고 그동안 구워온 컵케이크 양이 어마어마하게 늘어나면서 책에 나와 있는 단순한 레시피 외의 중요한 베이킹 노하우가 점점 쌓여갔습니다. 몸으로 부딪히면서 얻어낸 교훈이나 경험들은 생생한 정보이니 좀더 도움이 되지 않을까 하는 생각도 들었습니다. 또 그 사이에 컵케이크 가게들이 많이 생겨나면서 컵케이크에 대한 틀린 정보가 마치 진실처럼 홍보되는 일도 종종 있습니다. 자꾸만 컵케이크에 대한 오해가 쌓여가는 것을 보면서 해명할 자리가 있으면 했습니다.

게다가 이제는 뭔가 새로운 일에 도전해보고 싶기도 합니다. 이런저런 생각이 뭉글뭉글 피어오르던 즈음에 광화문에 위치한 요리교육 전문업체인 '라 퀴진' 에서 반가운 강의 의뢰가 들어왔답니다. 생각해보면 정말이지 내 삶의 모든 것이 마치 계획되어 있는 것처럼, 내가 원하고 또 꼭 필요한 시점에 좋은 기회가 찾아오곤 합니다. 가끔은 한참 지난 뒤에야 그때 그 일이 왜 생겼는지 알게 되어 무릎을 탁 치며 감탄하는 순간도 있고 말이죠. 너무 긍정적인가요?

요리교육을 위한 모든 재료와 시설이 준비되어 있는 곳에서 전문가들의 도움을 받아 진행하는 수업은 내게도 좋은 공부가 될 것입니다. 이제 컵케이크 클래스를 해보면 어떨까 하고 생각은 했지만 도대체 어디부터 준비

해야 하고 어떻게 진행해야 하는지 전혀 모르던 때에 모든 것이 준비되어 있는 기관에서 교육 프로그램을 경험해볼 수 있으니 말이죠. 처음 제의를 받았을 때에는 조금 망설였지만 내게도 좋은 경험이 될 테고 컵케이크를 좋아하는 사람들을 좀더 가까운 거리에서 친밀하게 만날 수 있을 것 같아 수업을 진행하기로 합니다.

컵케이크 클래스 공지를 올리고 나니 아무도 신청하지 않으면 어쩌나 덜컥 겁이 납니다. 그런데 이게 어떻게 된 일이죠. 보통 한 수업당 최대 인원이 스무 명으로 정해져 있는데 신청자가 워낙 많아 이번 수업만큼은 마흔 명으로 늘렸으면 좋겠다는 연락이 왔습니다. 많은 사람들이 좋아해주니 기분은 좋지만 동시에 부담감도 커집니다. 잘해야 될 텐데 말이죠.

컵케이크 집을 시작하고 나서 한동안은 컵케이크를 아는 사람들이 너무 적어 곤란하기도 했답니다. 도대체 이 디저트의 정체가 뭔지 궁금해하는 사람들도 많았고 머핀처럼 생겨서 왜 이렇게 비싸냐고 항의하는 이들도 있었습니다. 자주 오는 손님들도 컵케이크가 아니라 머핀이라고 부를 정도였으니까요. 예쁘고 맛있는 컵케이크가 널리 알려져 많은 사람들이 즐겼으면 하는 바람이었습니다. 그리고 일 년 후 컵케이크 수업을 하게 되었고, 마흔 명이나 되는 사람들이 수업을 듣는다고 하네요.

이제 많은 사람들이 컵케이크를 알고 그 이름에 익숙해진 것 같아 왠지 뿌듯합니다. 함께 둘러앉아 바닐라 컵케이크를 굽고 프로스팅을 만들어 케이크 위에 올리며 즐거워하는 시간이 참 좋습니다. 맛있는 컵케이크 만드는 방법을 여러 사람들과 나누고, 내게 컵케이크를 만드는 법을 배운 학생들이 자신이 만든 케이크를 친구나 가족과 함께 나누어먹을 걸 생각하니 달콤한 나눔이 온 세상으로 퍼져나가는 느낌이에요.

앞으로 컵케이크 클래스를 더 자주 할 것 같은 예감입니다.

가게를 시작하고 대부분의 문제들은 때마다 항상 짠 하고 해결사가 나타나곤 했는데 홈페이지만큼은 참 예외랄까요. 요즘은 대부분 인터넷을 통해 정보를 검색하기 때문에 홈페이지는 정말 중요한 홍보 수단이고 잘 활용만 한다면 큰 효과를 볼 텐데, 그럼에도 불구하고 홈페이지 작업의 진척이 무척 더딥니다.

우리 컵케이크 집 홈페이지 도메인은 www.cupcake.co.kr입니다. 참 좋은 웹 주소입니다. 컵케이크 집을 열기 훨씬 이전에 검색해보고 마침 사용이 가능하길래 재빨리 구입해두었지만, 컵케이크를 굽기 시작하고도 일 년이 넘도록 여전히 비어 있었습니다. 주소가 아까울 정도로 활용을 못합니다. 아무 노력도 하지 않은 것은 물론 아닙니다. 처음에는 의욕이 넘쳤지만 어느 날부터인가 가게 일이 바빠지면서 홈페이지 작업은 한없이 뒤로 밀리게 됩니다. 순식간에 세 달이 흐르고 마음이 바빠진 우리는 전문 웹디자이너를 만나 상담까지 했습니다. 엄청난 설명을 쏟아내신 디자이너분은 다음 작업이 들어가기까지 이 주가량 시간이 있다며 그 사이에 작업을 마치기를 원했지만 게으른 나는 언제나처럼 또 마감날짜를 지키지 못하고 이 주를 그냥 보냈죠.

홈페이지는 가게의 얼굴이나 마찬가지인데 컵케이크에 대해서, 나에 대해서 전혀 알지 못하는 누군가가 단지 컴퓨터 기술만을 가지고 작업을 하는 것은 원치 않았던 게 아닐까 하는 생각도 합니다. 또 세 달이 흘러 꼬박 한 해가 지나 Life is just a cup of cake는 오프라인에서는 꽤 유명하지만, 온라인에서는 쉽게 찾을 수 없는 숨겨진 가게가 되었답니다. 포털사이트 검색창에 '컵케이크' 를 검색해 우리 컵케이크 집을 찾는 게 쉬운 일은 아니니 말이죠.

하지만 이제 드디어 완벽하진 않지만 소박한 홈페이지가 문을 열었습니다. 아직 닫혀 있는 게시판이 많고 앞으로 보완해야 할 부분도 적지 않습니다. 하지만 빠르다고 다 좋은가요. 그리고 홍보를 잘한다고 다 좋은가요. 그냥 흘러가는 대로 하려고 합니다. 천천히 그리고 재미있게. 더 하고 싶은 이야기가 생기고 전하고 싶은 이야기가 많아지면 분명히 열심히 홈페이지도 만들게 될 겁니다. 지금은 이야기보다는 맛있는 컵케이크를 굽는 일에 집중하는 중이거든요.

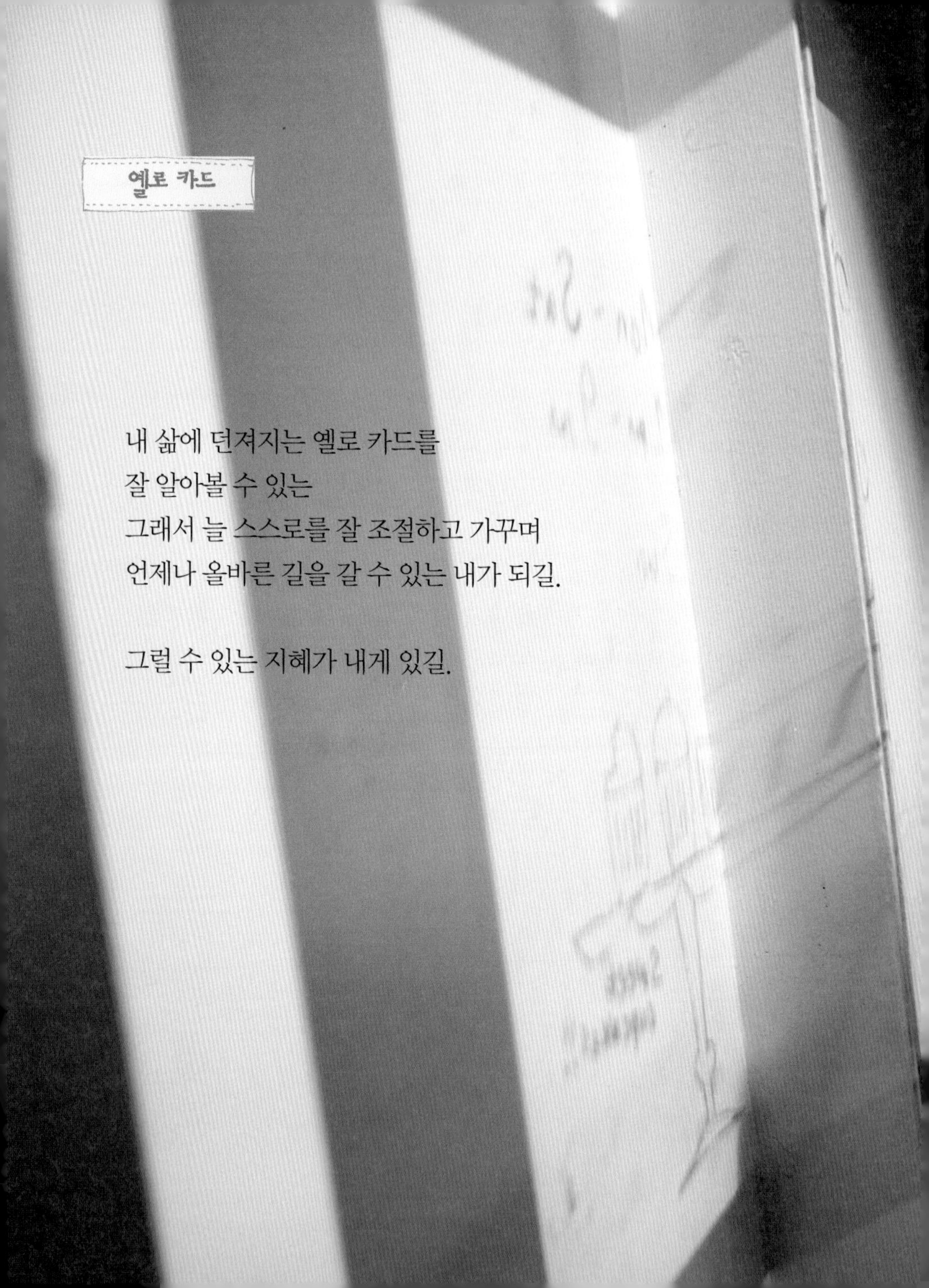

옐로 카드

내 삶에 던져지는 옐로 카드를
잘 알아볼 수 있는
그래서 늘 스스로를 잘 조절하고 가꾸며
언제나 올바른 길을 갈 수 있는 내가 되길.

그럴 수 있는 지혜가 내게 있길.

Life is just a cup of cake
Life is just a cup of cake

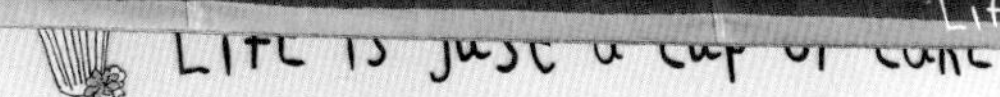

Life is just a cup of cake

유기농 밀가루

연일 TV에선 밀가루 방부제에 대한 논란이 지속되고 있습니다. 우리나라에서 재배되는 밀가루의 양이 적어 밀을 해외에서 대량으로 수입해오는데, 이때 밀가루에 엄청난 양의 방부제를 입힌다고 하더군요. 사실 무역이란 것을 하려면 어쩔 수 없는 선택이겠지만 밀가루뿐 아니라 우리가 자주 먹는 과일 등 수많은 수입산 식재료들이 방부제로부터 완벽히 자유로

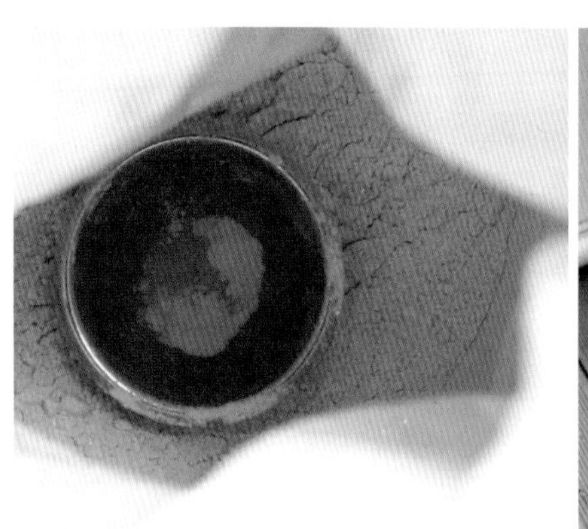

울 수 없으니 정말 문제입니다. 뉴스에서 연일 밀가루 문제만 단독으로 보도하는 것을 보면서 밀가루를 주재료로 케이크를 굽는 내가 불안한 건 어쩌면 당연한 일입니다. 뉴스를 보고 출근한 컵케이크 집 가족들과 함께 모여 밀가루에 대한 이야기를 한참 동안 나누었습니다. 그렇다고 해서 밀가루를 쓰지 않을 수는 없고 어떻게 하면 가장 좋은 대안을 찾을 수 있을까 고민하다가 '유기농 밀가루'로 결론을 냈습니다.

유기농 밀가루는 일반 밀가루에 비해 입자가 거칠어서 케이크로 구우면 덜 부드럽고 케이크 특유의 촉촉한 맛도 떨어진다고 합니다. 유기농 강력분으로 빵을 굽는 집은 종종 있지만 박력분을 사용하는 가게는 거의 없어 도매상에서도 취급하지 않는다고 합니다. 유기농 박력분이 입고되려면 꽤 기다려야 할 거라는군요. 맛이 얼마나 달라지는 건지 한번쯤 시도해볼 만해 유기농 밀가루를 신청했습니다. 밀가루를 기다리는 동안 유기농 박력분에 대한 정보를 찾아보았지만 별로 없더군요. 이제는 정말 백 퍼센트 우리가 연구하고 실험해보는 수밖에요.

호주산 유기농 밀가루가 도착한 날 우리는 모두 환호성을 질렀답니다. 밀가루 포장지에 씌어 있는 'free of chemicals무농약' 이라는 단어가 어찌나 안심이 되던지요. 연한 노란색을 띤 유기농 밀가루는 뽀얀 일반 밀가루에 비해 입자가 더 고왔습니다. 밀가루를 체에 쳐서 내릴 때 덩어리로 남는 알갱이가 거의 없을 정도로 고슬고슬하고 색도 자연스럽게 노란빛을 띠는 건강한 밀가루.

빨리 유기농 밀가루로 케이크를 굽고 싶어 마음이 급합니다. 재료를 계량하고 반죽 만들기에 돌입합니다. 그런데 역시 조금 다르기는 하네요. 일반 밀가루에 비해 수분흡수율이 떨어져 우유를 넣자 버터와 우유의 분리 현상이 평소보다 심합니다. 빠르게 반죽을 마무리하고 오븐에 넣어 구워내니 컵케이크 크기도 예전보다 작고 오븐에서 꺼내자 금세 더 작아집니다. 밀가루 수분흡수율이 문제인 것 같습니다. 그래서 버터와 밀가루 양을 조금 늘리고 우유 양은 조금 줄이는 등 우리의 도전이 시작됩니다.

유기농 밀가루를 쓰면서 컵케이크에 들어가는 재료의 양도 많아지고 밀가루 가격도 훨씬 높아져 원가 비용이 꽤 상승했지만, 함께 나누어먹는 케이크가 그 속까지 따뜻하기를 바라는 마음에서 유기농 밀가루를 쓰기로 결정했습니다. 몇 원 더 아끼기 위해 마음이 담겨 있지 않은 케이크를 만들고 싶지는 않습니다. 케이크의 필수 재료인 밀가루, 우유, 달걀, 버터는 피해야 할 식재료 목록에 매번 빠지지 않고 올라옵니다. 그렇지만 매일 먹는 밥과 밥 사이에 가끔 즐기는 달콤한 디저트는 우리의 정신 건강에 도움이 되니 지나친 죄책감을 가질 필요는 없지 않을까요? 다만, 가능하다면 몸에 좋은 재료로 만든 달콤한 디저트를 고르는 게 좋겠죠!

우리밀

케이크나 빵을 구울 때 일반적으로 쓰는 수입밀은 재배 과정에서 농약을 사용하는 것은 물론 한국까지 운반되어 오는 과정에서 살충제와 살균제, 방부제나 보존제 등을 넣지 않을 수 없다고 합니다. 반면 우리밀은 겨울에 자라기 때문에 공해와 농약으로부터 훨씬 자유롭습니다. 운반에 걸리는 시간도 적어 별다른 약품처리를 하지 않아도 되며 밀 자체의 영양분도 수입밀에 비해 훨씬 뛰어납니다. 하지만 수입밀이 워낙 싼 가격에 공급되기 때문에 경쟁력이 떨어지면서 점점 수확량이 줄고 있다고 합니다. 가격이 올라가는 것은 당연한 일일 테고요.

처음 컵케이크 집을 시작할 때는 사실 먹을거리에 대해 진지하게 관심을 기울이지 않았습니다. 물론 달콤한 케이크를 만들어 사람들에게 즐거움을 선사하겠다는 마음은 있었지만 먹을거리 자체에 관심이 있다거나 건강까지 고려하지는 않았죠.

컵케이크 집 문을 열고 일 년여의 시간 동안 여러 변화를 겪으며, 케이크 맛도 중요하지만 그 맛을 내는 재료에 대한 관심이 깊어졌습니다. 유기농 밀가루나 비정제 설탕, 유기농 우유와 유정란 같은 재료들 말이지요.

착한 재료를 사용해 디저트를 만들고 싶어졌으니까요.

착한 재료들은 물론 일반 식재료에 비해 훨씬 비싸지만 접근하기 어려울 만큼 높은 벽은 아닙니다. 똑똑하게 잘 계산해서 쓴다면 가게에서도 충분히 대량으로 들여올 수 있는 재료들입니다. 우리밀의 경우는 더욱 그렇고요. 많은 사람들이 우리밀을 소비한다면 수요가 늘어날 테고 그에 따라 공급량도 자연스럽게 많아지겠죠. 그러면 우리밀 생산 환경이 안정되고 가격 또한 낮아질 테니 얼마나 좋은 일이에요. 우리 농민들도 즐겁고, 케이크와 빵을 만드는 사람들도 자부심을 가지며 소비자에게 건강한 디저트를 제공할 수 있고요.

재료에 대한 고민이 깊어지면서 요즘 작은 가게에 한계를 느낄 때가 있습니다. 가게가 좀더 크다면, 아니면 가게가 여러 개라면 밀가루를 많이 쓸 테고 그만큼 우리 농가에 도움이 될 텐데 말이죠. 그러면 손님들에게도 건강에 좋은 유기농 컵케이크를 더 많이 만들어드릴 수 있을 텐데요. 방법을 찾아내려고 합니다. 소자본으로 좋은 일을 할 수 있는 그런 방법을.

우리밀 컵케이크

건강 케이크에 대한 관심이 점점 몽실몽실 피어오르는군요.

수입밀보다 우리 땅에서 자란 신선한 밀가루로 만든 컵케이크.
우유와 버터, 달걀 등 동물성 재료를 쓰지 않고 구운 컵케이크.
설탕보다는 꿀이나 메이플 시럽으로 단맛을 낸 컵케이크.

몸에 좋은 케이크를 만들고 싶어 각종 베이킹 책과 정보를 모아 공부하던 어느 날, 드디어 식물성 재료를 이용한 채식 베이킹에 도전해보기로 합니다. 첫번째로 실패해도 가장 무난하게 먹을 수 있는 초콜릿 컵케이크로 선정했습니다. 채식 초콜릿 컵케이크. 가슴이 두근거리지만 시작도 하기 전부터 맛이 없으면 어떡하나 하는 걱정이 앞서네요. 케이크를 만들 때 동물성 재료를 쓰지 않으려면 제약이 무척 많답니다. 케이크의 주재료인 버터와 우유, 달걀을 피해야 하거든요. 버터를 대체할 품목으로는 카놀라 오일이나 해바라기씨 오일 등 식물성 기름이 있지요. 정확히 버터 몇 그램당 오일 몇 그램으로 대체하기는 어렵고 레시피와 케이크 종류에 따라 조금씩 조절하면서 실험해보려고 합니다. 우유는 두유나 땅콩을 갈아 만든 물 혹은 커피나 홍차 등으로 대체할 수 있어요. 달걀은 사과를 은근히 졸여 만든 사과 소스나 과일 퓌레로 대신하면 되고요.

채식 초콜릿 컵케이크를 만들기 위해 버터 대신 카놀라 오일을, 우유 대신 진한 커피를, 달걀 대신 으깬 바나나를 선택했습니다. 밀가루는 외국의 유기농 밀가루 대신 우리 통밀가루를 선택해 재료의 신선함을 더했고 코코아가루 대신 발로나 사 초콜릿을 이용해 깊은 맛을 내기로 합니다. 더욱 몸에 좋은 케이크를 만들기 위해, 꽤 많은 양이 들어가는 설탕 대신 꿀을 넣었고요.

- 버터 → 카놀라 오일
- 수입 밀가루 → 우리 통밀가루
- 우유 → 커피
- 설탕 → 꿀
- 달걀 → 으깬 바나나
- 코코아가루 → 초콜릿
- 베이킹파우더 → 동일

채식 케이크라 하더라도 재료 선정이 다소 까다로울 뿐 만드는 과정은 훨씬 더 간단합니다. 우선 밀가루, 베이킹파우더 등의 가루 재료를 체에 쳐 한곳에 섞어둡니다. 그러고서 큰 볼에 미리 녹여 식힌 초콜릿과 카놀라 오일, 커피, 꿀, 으깬 바나나를 넣어 잘 섞어준 후 여기에 미리 체에 내려 둔 가루 재료를 넣고 함께 저어주면 반죽 만들기는 끝!

과연 케이크의 맛은 어떨까요?

채식 초콜릿 컵케이크의 모양은 마음에 쏙 들 정도로 예쁘게 나오지는 않았지만 맛은 아주 깔끔했답니다. 깔끔하면서도 달콤한 그 맛에 반해 앉은 자리에서 두 개나 뚝딱 먹어치웠는데 속이 불편하지 않고 입안도 텁텁하지 않더군요. 처음 만들어보았는데 이렇게나 만족스러울 수가!

채식 컵케이크의 맛은 훌륭했지만 당장은 상품가치가 떨어지므로 바로 손님들에게 선보일 수는 없습니다. 지금부터 천천히 그리고 꾸준하게 연구하고 꼼꼼히 준비한다면 언젠가 맛있으면서 모양도 예쁜 채식 컵케이크를 많은 사람들과 나눌 수 있는 날이 오리라 생각합니다. 희망을 가지고 계속 도전해보면 꼭 그날이 오겠죠!

꿈이 있고 도전하고 싶은 뭔가가 있다는 그 자체만으로 오늘도 가슴이 두근거리고 행복합니다.

출발선

나는 여전히 준비운동 중입니다.

언젠가 멀리서 '준비, 시작' 하는 소리가 들리면 그때쯤 슬슬 달려볼까 합니다. 어쩌면 달리기가 벅찰지도 모르니 천천히 걸어가야겠습니다. 마음의 소리를 좇아 하루하루 충실히 살다보면 조금은 늦더라도 내 길을 찾을 수 있겠지요.

아직 출발하지 않아 더욱 즐겁습니다. 이제 출발선이니 무서울 것도 두려울 것도 없고요. 요즘 어린 시절 백 미터 달리기를 앞두고 심장이 두근거렸던 것처럼, 딱 그렇게 가슴이 뜁니다.

Life is just a cup of cake. So enjoy!

Chocolate
£225
Carrot

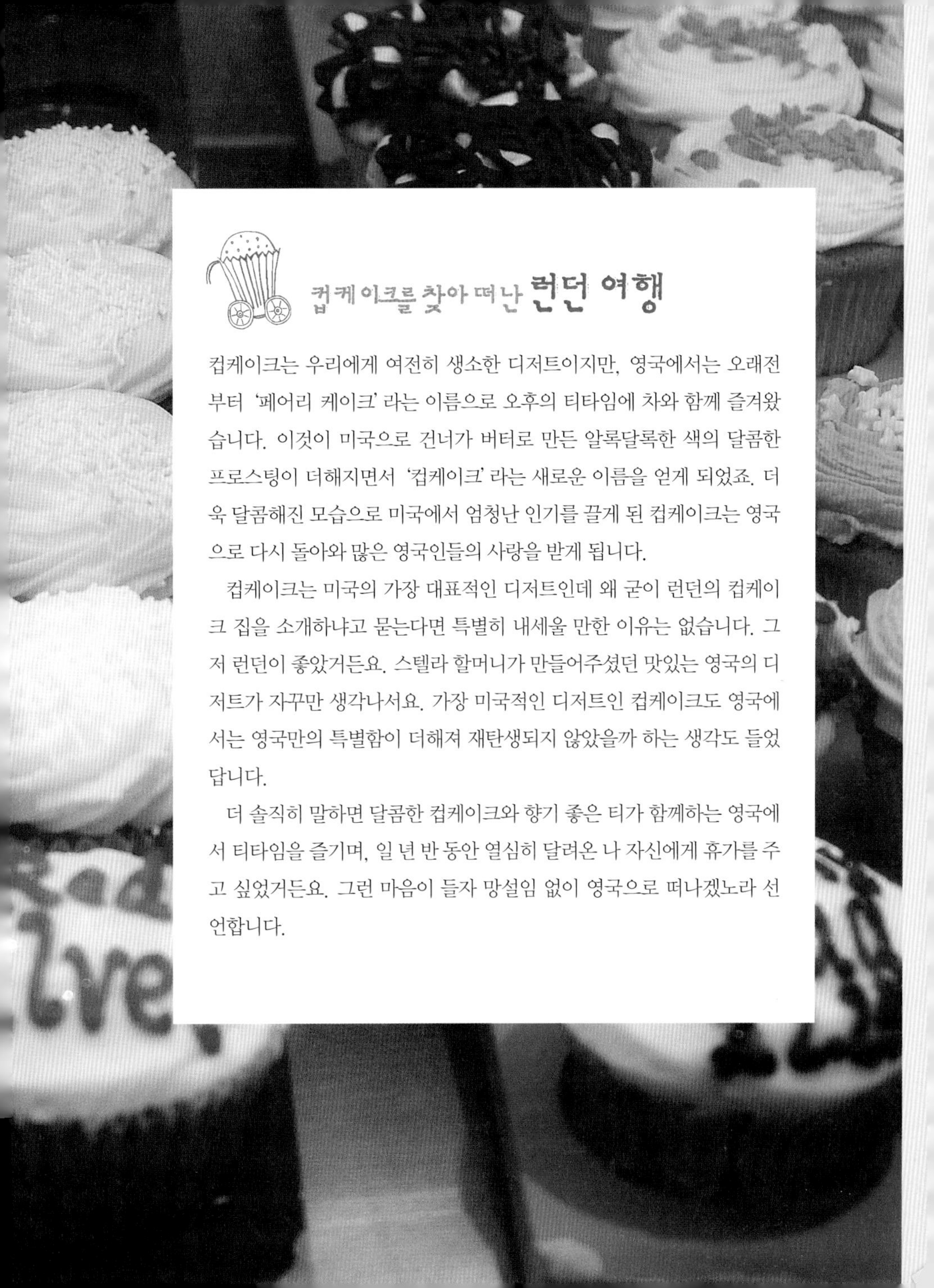

컵케이크를 찾아 떠난 런던 여행

컵케이크는 우리에게 여전히 생소한 디저트이지만, 영국에서는 오래전부터 '페어리 케이크'라는 이름으로 오후의 티타임에 차와 함께 즐겨왔습니다. 이것이 미국으로 건너가 버터로 만든 알록달록한 색의 달콤한 프로스팅이 더해지면서 '컵케이크'라는 새로운 이름을 얻게 되었죠. 더욱 달콤해진 모습으로 미국에서 엄청난 인기를 끌게 된 컵케이크는 영국으로 다시 돌아와 많은 영국인들의 사랑을 받게 됩니다.

컵케이크는 미국의 가장 대표적인 디저트인데 왜 굳이 런던의 컵케이크 집을 소개하냐고 묻는다면 특별히 내세울 만한 이유는 없습니다. 그저 런던이 좋았거든요. 스텔라 할머니가 만들어주셨던 맛있는 영국의 디저트가 자꾸만 생각나서요. 가장 미국적인 디저트인 컵케이크도 영국에서는 영국만의 특별함이 더해져 재탄생되지 않았을까 하는 생각도 들었답니다.

더 솔직히 말하면 달콤한 컵케이크와 향기 좋은 티가 함께하는 영국에서 티타임을 즐기며, 일 년 반 동안 열심히 달려온 나 자신에게 휴가를 주고 싶었거든요. 그런 마음이 들자 망설임 없이 영국으로 떠나겠노라 선언합니다.

Crumbs and Doilies
everybody ♥'s cupcakes
FRAGILE

크럼스 앤 도일리스 Crumbs & Doilies

알록달록한 프로스팅과 예쁜 데코레이션으로 유명한 크럼스 앤 도일리스는 온라인으로 주문을 받아 판매하는 컵케이크 집입니다. 홈페이지에 들어가면 정말 깜짝 놀랄 정도로 귀엽고 예쁜 모양의 컵케이크를 볼 수 있는데요, 톡톡 튀는 아이디어가 넘치는 그들만의 스프링클은 정말 놀라울 정도랍니다. 이렇게 예쁜 크럼스 앤 도일리스의 컵케이크를 맛보려면 반드시 먼저 주문을 해야 합니다. 아직까지 매장을 열지 않았거든요. 영국의 많은 컵케이크 집들이 가게를 열기 전에 꽤 오랜 시간 동안 온라인으로 주문을 받아 배달하는 방식으로 운영되고 있습니다. 온라인을 통해 판매를 하면서 경험과 인지도를 쌓은 후에 오프라인 매장을 여는 것은 안전하면서도 합리적인 방법 같습니다.

일반 컵케이크 외에도 생일용이나 결혼식용 컵케이크 등을 미리 주문받으면 특별한 디자인으로 만들어주기도 하고, 밸런타인데이나 크리스마스 같

은 명절에는 특별한 컵케이크 세트를 선보이기도 합니다. 매일 찾아갈 수 있는 가게는 없지만 목요일에 열리는 코벤트 가든Covent Garden 마켓에 가면 이들의 컵케이크를 만날 수 있습니다.

코벤트 가든에서 만난 오늘의 크럼스 앤 도일리스 컵케이크는 초콜릿·바닐라·라임·레몬 컵케이크. 네 종류의 케이크에 각기 다른 색소로 색을 낸 버터크림을 살짝 올린 뒤 다양한 스프링클을 뿌려서 꾸며낸 그들의 컵케이크는 소문만큼 장식이 화려합니다. 커다란 진주알도 척척 올라가 있고 설탕으로 만든 예쁜 꽃도 보이네요. 모양이 너무 화려해서 컵케이크가 액세서리나 장식품 같은 느낌이 들기까지 합니다. 그중에서는 초콜릿 컵케이크가 가장 맛나네요. 이곳에 들르시면 꼭 초콜릿 컵케이크를 맛보시길!

Crumbs & Doilies
www.crumbsanddoilies.co.uk

허밍버드 베이커리 Hummingbird Bakery

소박한 케이크를 꿈꾸는 많은 사람들이 컵케이크를 찾게 되는 것은 어쩌면 당연한 일인 것 같습니다. 런던에서 가장 유명한 컵케이크 집인 허밍버드 베이커리의 주인도 슈퍼마켓 케이크보다 맛이 좋고 프랑스 스타일보다 소박한 케이크를 만들고 싶어 2004년에 이 작은 가게를 열게 되었다니 말이죠. 허밍버드 베이커리는 컵케이크만 선보이는 곳은 아닙니다. 컵케이크는 물론 미국 스타일의 케이크와 브라우니 등을 함께 맛볼 수 있답니다. 그러나 손님들이 대부분 컵케이크를 사가는 것을 보면 이곳의 대표 메뉴는 역시 컵케이크인 듯하네요.

허밍버드 베이커리는 노팅힐의 포토벨로 길Portobello Road에 자리 잡고 있습니다. 전 세계 관광객들로 북적거리는 포토벨로 마켓을 찾아간 날은 하필이면 토요일. 전철에서 내리자 자연스레 인파에 섞이면서 어딘가로 흘러가게 되는데, 저 멀리 길게 줄을 선 사람들이 보입니다. 바로 허밍버드 베이커리 앞이네요. 마침 찾아갔던 날이 7월 4일 미국의 독립기념일이라 컵케이

크는 온통 미국 국기와 별들로 장식되어 있습니다. 가게가 매우 작고 좌석도 턱없이 부족해 주로 포장해서 가져가는 손님들이 많습니다. 한참을 기다린 끝에 드디어 내 차례가 왔습니다. 꼭 한번 맛보고 싶었던 레드벨벳과 피넛버터 초콜릿 컵케이크를 골랐습니다. 독립기념일용 컵케이크를 많이 준비하다보니 오늘은 메뉴 선택의 폭이 넓지 않은 편이라고 하네요. 예쁜 분홍색 테이크아웃 잔에 담긴 커피를 한 손에, 다른 한 손에는 컵케이크 상자를 들고 가게를 나서니 왠지 마음속까지 달콤해지면서 웃음이 절로 나네요. 가게 앞 도로에 컵케이크를 즐기는 사람들이 삼삼오오 모여 앉아 있습니다. 우리도 한쪽에 자리를 잡고 컵케이크를 집어들었습니다. 컵케이크를 한입 물고 커피를 마시면서 달콤함을 음미하니 지난 며칠 동안의 여독이 풀리는 것 같습니다.

Hummingbird Bakery
www.hummingbirdbakery.com

Portobello Road 본점

전화 020 7229 6446
주소 133 Portobello Road, Notting Hill, London, W11 2DY

Old Brompton Road 지점

전화 020 7584 0055
주소 47 Old Brompton Road, South Kensington, London SW7 3JP

프림로즈 베이커리 Primrose Bakery

프림로즈 베이커리의 시작은 이렇습니다. "미국에도 있고 호주에도 있는 컵케이크가 왜 영국에는 없을까? 귀엽고 예쁜 컵케이크는 아이들 간식으로 딱 맞는데…… 그럼, 우리가 한번 만들어볼까?" 평소 몸에 좋으면서 예쁘기도 한 디저트에 관심이 많았던 두 엄마가 아이들과 그 친구들의 간식이나 파티 케이크를 만들어주기 위해 가게를 열게 되었다는군요. 좋은 재료에 엄마의 사랑이 담긴 따뜻한 마음을 더해 구운 컵케이크가 널리 알려지면서, 프림로즈 힐Primrose Hill에 위치한 본점에 이어 코벤트 가든에 두번째 가게까지 열었습니다.

멀리서도 눈에 띄는 노란색 외관을 보자 가슴이 두근거리고 발걸음은 빨라지네요. 노란 집 안에는 알록달록 예쁜 컵케이크들이 서로 나를 선택해 달라며 방긋방긋 웃고 있습니다. 프림로즈 베이커리의 컵케이크는 과도한

PRIMROSE BAKERY

로즈 컵케이크
당근 컵케이크
초콜릿 컵케이크
바닐라 컵케이크

스프링클이나 다채로운 색깔의 프로스팅으로 케이크를 꾸미기보다 초콜릿이나 호두 등 간단한 토핑을 활용해 소박하면서도 고급스럽게 만들었습니다. 우리 컵케이크와 조금 닮은 것 같아요.

빨간 로열 아이싱royal icing 슈가파우더를 달걀 등과 섞어 케이크에 장식하는 것으로 그린 당근이 무척 깜찍한 당근 컵케이크와 어딜 가나 꼭 맛보아야 할 초콜릿, 바닐라 그리고 조금 생소한 로즈 컵케이크를 골랐습니다. 컵케이크를 들고 코벤트 가든 마켓 주변에 한가롭게 앉아 주말 오후를 보내는 영국인들 사이에서 당근 컵케이크를 집어들고 한입 베어무니 입안 가득 퍼지는 당근의 향과 달콤한 크림치즈 프로스팅이 정말 환상이었답니다. 그런데 장미향이 가득한 로즈 컵케이크는 보기에는 예쁘지만 맛은 큰 매력이 없네요. 입안 가득 퍼지는 꽃향이 식욕을 자극하진 않으니 말이죠. 그래도 한번 만들어보고 싶어 로즈 컵케이크의 재료인 로즈 워터를 넉넉히 구입해 오긴 했습니다.

Primrose Bakery
www.primrosebakery.org.uk

Primrose Hill 본점

전화 020 7483 4222
주소 69 Gloucester Avenue, London NW1 8LD

Covent Garden 지점

전화 020 7836 3638
주소 42 Tavistock Street, London WC2E 7PB

롤라스 Lola's

런던으로 컵케이크 집을 찾아 떠나기로 결심하고 정보를 모으다보니 런던 컵케이크 집의 대부분이 매장이 없고, 온라인으로 주문을 받아 집이나 작업실에서 컵케이크를 만든다는 것을 알게 되었습니다. 런던의 물가가 워낙 높다보니 정식 매장을 열기 전에 어느 정도 인지도를 얻고 경험을 쌓으려는 요량인 듯합니다. 맛보고 싶은 컵케이크가 전부 선주문 후배송 방식이어서 런던에 살지 않는 외국인에게는 그림의 떡인 셈이더군요.

롤라스의 컵케이크 역시 그랬습니다. 꼭 맛보고 싶었지만 어떻게 해야 좋을지 몰라 고민 끝에 그들에게 직접 메일을 보내기로 합니다. 곧 런던에 가려는 한국 사람인데 당신들의 컵케이크를 꼭 맛보고 싶으니 방법을 알려달라고 말이죠. 작업실에 방문할 수 있다면 더욱 좋겠다는 말도 덧붙였습니다. 그러자 롤라스의 컵케이크를 먹어볼 수 있는 너무도 간단한 해결책을 알려줍니다. 런던 중심에 있는 셀프리지스Selfridges 백화점과 해로즈Harrods 백화점에 가면 만날 수 있다는군요.

롤라스에서는 총 여섯 가지의 컵케이크를 미니 사이즈로도 굽습니다. 미

니 컵케이크는 보통 주문을 받아 굽는 것이 일반적인데, 롤라스에서는 손님들이 미니 컵케이크를 바로 보고 고를 수 있어 편리하네요. 특히 여러 컵케이크를 조금씩 맛보고 싶은 나 같은 사람에게는 귀여운 미니 컵케이크가 제격입니다.

맛을 고를 것도 없이 여섯 종류의 미니 컵케이크를 모두 포장하기로 합니다. 그중 가장 눈에 띄는 것은 연한 녹색의 컵케이크. 케이크 속에 라임 크림이 들어 있어 더욱 부드럽고 달콤하네요. 런던에 오니 한국에서는 흔히 접할 수 없는 재료로 만든 케이크와 빵을 먹을 수 있어 행복합니다. 로즈 컵케이크도 그렇고 라임과 라벤더 컵케이크까지 종류가 무척 다양합니다.

외국 컵케이크의 레시피를 보다보면 꼭 만들고 싶은 게 나와도 한국에서 구할 수 없는 재료가 많아 포기할 때가 많거든요. 영국의 다양한 케이크를 맛보면서 그런 아쉬움을 달래보지만 한편으로는 아쉬움이 점점 더 커지는 건 왜일까요. 롤라스의 컵케이크를 먹은 뒤 조금 늦은 시간이었지만 다음 컵케이크 집을 찾아나서기로 합니다.

Lola's
www.lolas-kitchen.co.uk

셀프리지스 백화점과 해로즈 백화점에 매장이 있습니다.

레드 벨벳 Red Velvet 컵케이크

레드 벨벳 컵케이크는 이름 그대로 벨벳처럼 부드러운 식감의 빨간 속살을 지닌 케이크입니다. 미국 남부지역을 대표하는 케이크인 레드 벨벳은 빨강 색소를 듬뿍 넣은 코코아 케이크 위에 하얀 크림치즈 프로스팅을 올린 것이에요. 사실 빨강 색소를 빼면 레드 벨벳 케이크는 단순한 코코아 케이크에 지나지 않는답니다. 코코아가루의 양도 어찌나 조금 들어가는지 코코아 맛을 조금도 느낄 수 없는 경우도 많습니다. 그저 빨간색을 내는 케이크가 사람들의 호기심을 자극하고 특별한 디저트를 먹는다는 느낌을 줄 뿐이죠.

레드 벨벳 케이크의 레시피를 자세히 살펴보면 생각보다 많은 양의 빨강 색소가 들어가는 것을 알 수 있어요. 아무리 몸에 해가 없는 식용 색소라 하더라도 두세 스푼 훌쩍 넘게 들어가는 색소 양을 보면 누구나 식욕이 떨어지지 않을까요? 빨강 색소도 두려움의 대상인데, 게다가 레드 벨벳 케이크를 만들기 위해서는 반드시 '버터밀크' 라는 재료도 넣게 됩니다. 버터밀크는 버터와 우유의 중간 단계로 버터보다는 묽고 우유보다는 덩어리감이 느껴지는 요구르트 상태의 우유를 말합니다. 한국에서는 버터밀크를 구할 수 없어 대신 레몬즙을 약간 넣은 우유를 사용하는데, 버터밀크와는 맛이 꽤 다르다고 할 수 있어요. 버터밀크 특유의 맛을 만들어내기는 무척 어렵거든요.

이런저런 이유로 한국에서 맛보기도, 만들기도 어려운 완벽한 레드 벨벳 컵케이크를 먹어보고 싶은 마음이 점점 커져가던 차에 이번 런던 여행은 절호의 기회입니다. 미국에서 레드 벨벳 컵케이크가 선풍적인 인기를 얻었다고 해서 과연 얼마나 맛있고 매력적일까 하는 것이 한동안 최고의 관심사였답니다.

쫀득하게 구워낸 레드 벨벳 컵케이크는 보기에 무척 매혹적입니다. 바닐라나 초콜릿 케이크는 무척 흔한데, 빨간색 케이크라니 정말 색다르잖아요.

그러나 레드 벨벳의 맛은 뛰어난 외모만큼 훌륭하지 않더군요. 적어도 내 입맛에는요. 그 많은 양의 빨강 색소를 참고 꿀꺽 삼킬 만큼 맛이 뛰어나다는 생각이 들지 않았거든요. 먹고 난 후에도 버터밀크 특유의 시큼한 맛 때문에 한동안 입안에 떫은맛이 남아 자꾸만 물을 찾게 되더라고요. 궁금해서 한 번쯤 맛볼 가치가 있는 케이크이긴 하지만 즐겨 먹지는 않을 것 같습니다.

레드 벨벳 컵케이크의 빨간 속살

레드 벨벳 컵케이크 레시피

재료(컵케이크 12개 기준) 밀가루 185g, 코코아가루 12g, 베이킹파우더 6g, 소금 약간, 버터밀크 85g, 바닐라 원액 1작은술, 식초 1/2작은술, 식용 빨강 색소 4큰술, 설탕 170g, 버터 60g, 달걀 1개

01 밀가루와 코코아가루, 베이킹파우더와 소금을 함께 체에 쳐놓습니다.
02 버터밀크와 바닐라 원액, 식초와 빨강 색소도 함께 볼에 넣고 섞어둡니다.
03 버터를 볼에 넣고 거품기로 풀어준 후 설탕을 넣고 섞어줍니다.
04 03에 달걀을 넣고 섞은 후 01과 02의 재료를 번갈아 섞습니다.
05 컵케이크 틀에 끼워놓은 종이 컵케이크 컵에 04의 반죽을 70퍼센트 채우고 180도로 예열해둔 오븐에서 22~25분가량 굽습니다.
06 컵케이크가 충분히 식으면 스패튤러로 바닐라 크림치즈를 바릅니다.

페어케이크 컵케이크 Faircake Cupcake

공정무역 초콜릿과 유정란 등의 유기농 재료로 만든 컵케이크를 판매하는 '공정한 케이크Faircake' 집. 이곳 역시 매장 없이 온라인으로 주문을 받습니다. 페어케이크 집의 주인 시키타Shikita 씨는 원래 펀드 매니저로 일하다가 좋아하는 일을 하면서 살고 싶어 컵케이크를 굽기 시작했다고 합니다. 나와 비슷한 배경을 가진 시키타 씨에게 호감이 생겨 꼭 한번 만나보고 싶었습니다.
재료와 만드는 과정에 의미를 부여했을 뿐 아니라 런던의 컵케이크 대회에서 일등을 차지했을 만큼 맛 또한 훌륭하다고 하니 더더욱 먹어보고 싶더군요. 런던 사람들이 가장 맛있다고 선정한 컵케이크가 내가 구운 컵케이크보다 더 맛이 좋을지 무척 궁금했습니다.

런던으로 떠나기 전 시키타 씨에게 메일로 간단한 자기소개 글과 함께 페어케이크의 컵케이크를 맛보고 싶다는 의사를 전했더니 뜻밖에도 시키타 씨의 부엌에 초대받았습니다. 그녀가 진행하는 컵케이크 클래스 날짜에 맞추어 방문한 날, 템스 강이 내려다보이는 전망 좋은 그녀의 집에는 컵케이크를 사랑하는 영국인 여섯 명이 모여 있었습니다. 이들은 멀리 한국에서 컵케이크를 구경하러 온 나를 신기한 눈으로 바라보는 한편 한국의 컵케이크에 대해 이런저런 질문을 던지기도 합니다.

드디어 수업이 시작되고 시키타 선생님의 비밀 레시피를 참조해서 런던 사람들이 뽑은 가장 맛있는 바닐라와 초콜릿 컵케이크를 만듭니다. 다양한 프로스팅을 만들어 컵케이크를 장식하다보니 어느새 여섯 시간이나 훌쩍 지났네요. 오늘은 한국에서 귀한 손님이 왔으니 특별한 케이크를 만들어보자는 시키타 씨의 제안에 따라 우리들은 트리플 컵케이크도 만들었습니다.

컵케이크에 대한 소중한 정보를 아낌없이 나눠준 시키타 선생님과 컵케

이크에 대한 열정이 무척 아름다웠던 영국 친구들과 함께 보낸 이 시간이 참으로 감사했습니다. 모두 어찌나 친절하고 재미있던지 하루가 금세 지나가버렸어요. 힘들게 얻은 좋은 정보를 기꺼이 다른 사람들에게 공개하고, 클래스를 통해 서로 의견을 교환하면서 함께 발전해가는 그들의 모습을 보면서 자꾸 내 모습을 돌아보게 되고 반성하게 됩니다.

Faircake Cupcake
www.faircake.co.uk

버터컵 케이크 집 Buttercup Cake Shop

7월의 런던은 밤 열 시가 되어도 무척 밝더군요. 해가 오래 떠 있으니 하루를 길게 쓸 수 있어 여행자에게는 다행스럽습니다. 그런데 낮은 길지만 작은 컵케이크 가게들은 늦게까지 문을 열지는 않아요. 워낙 일과 삶의 균형을 중요하게 생각하는 사람들이라 오후 여섯 시만 되면 대부분 상점 문을 닫습니다.

버터컵 케이크 집을 찾아간 날은 런던 시내에서 멀리 떨어진 치즈윅의 '아웃사이더 타르트' 라는 가게까지 갔다가 허탕 치고 돌아와 오후를 다 보낸 늦은 시간이었습니다. 버터컵 케이크 집도 여섯 시면 문을 닫으므로 마음이 급합니다. 한가로운 켄싱턴 주택가에 조용히 자리 잡은 노란색 컵케이크 가게를 만나자, 실망스러웠던 오후 일정이 보상될 만큼 금세 기분이 좋아지네요.

노란색 외관의 가게 풍경과 매우 잘 어울리는 노란 머리 언니가 가게 주변을 정리하는 모습을 보니 아직 문을 닫지 않은 것 같더군요. 얼른 들어가서 바닐라와 바나나 컵케이크를 포장해 가게 문을 나섭니다. 힘들게 찾아간 가게라 더 머물며 주인에게 이런저런 질문도 하고 싶었지만 하루를 마무리하는 그들을 방해하는 것은 도리가 아닌 것 같습니다.

버스 정류장으로 돌아오면서 바나나 컵케이크를 한입 베어 물었습니다. 음, 이곳의 바나나 컵케이크는 정말이지 런던에서 맛본 컵케이크 중 가장 맛있다고 두 엄지손가락을 치켜세울 만큼 훌륭했습니다. 오늘 하루 종일 고생스러웠지만 전부 다 보상될 만큼 적당히 달콤하고 풍부한 맛이었어요!

Buttercup Cake Shop
www.buttercupcakeshop.co.uk

전화 020 7937 1473
주소 16 St. Albans Grove, Kensington London W8 5BP